Lydie Raisin

Programme anti-cellulite

• MARABOUT •

Sommaire

Introduction..7
    La méthode...8
    Les cinq questions que vous vous posez...............9
    La cellulite...11
    Petits rappels anatomiques......................................14

Méthodes et régimes...21
    Actions à domicile..22
    Les techniques en institut..26
    Quelques autres méthodes.......................................31
    Quelques régimes anti-graisse et anti-cellulite à la mode............32
    Un mot sur les autres régimes................................36
    Les substituts de repas...37
    La chirurgie esthétique...38
    Les centres d'entretien physique en action personnalisée.............39
    Trois spécialistes à votre écoute............................42

Poids et cellulite...47
    Les différentes formules pour le poids idéal.........48
    Les produits médicamenteux pour perdre du poids...............49

L'hygiène alimentaire..51

Les massages...63
    Les différents types de massages...........................64
    Votre auto-massage quotidien..................................66

Première semaine : votre programme de préparation...........69

Deuxième semaine : programme spécifique anti-cellulite.......109

Cuisses, bras et cellulite...................................145
    Cellulite et intérieur des cuisses...........................146
    Bras et cellulite..150

Conclusion..155

Introduction

Ce guide s'appuie sur une méthode sérieuse, basée sur la logique et l'expérience. Il ne s'agit pas de croire au miracle et de penser que l'on va obtenir un corps de rêve en trois mois, mais une chose est sûre : la régularité dans l'activité physique et dans l'entretien du corps engendre une modification certaine de la silhouette.

Ce guide n'a qu'un but : vous aider à améliorer la tonicité de votre masse musculaire et éliminer peu à peu la graisse ou la cellulite (du moins partiellement) qui la recouvre au niveau du ventre et des hanches. Il a également pour vocation de mieux vous faire comprendre votre corps afin de mieux ... lutter !

Il y a autant de cellulites et d'origines cellulitiques que de personnes. Il serait donc peu sérieux d'affirmer qu'il existe une solution pour tous les cas ; en revanche, il est toujours possible de s'améliorer !

La fameuse phrase affirmant que le sport ne fait pas maigrir est surtout l'apanage des non-sportifs. Peu de professionnels du sport présentent un relâchement corporel ou un surplus pondéral. Bon courage !

Ce qui importe, c'est essentiellement la façon de vous entraîner : si vous ne faites pas d'effort sur un mouvement et que vous cessez dès que vous ressentez une gêne, le résultat risque de se faire attendre.

Il convient, en effet, de respecter les conseils de position du corps et, surtout, d'essayer de progresser. Le résultat est à ce prix !

▲ Il est bien évident qu'en cas de surplus cellulitique très important, c'est votre médecin traitant qui sera à même de vous conseiller et de vous suivre dans votre progression.

La méthode

Trois niveaux sont proposés :

• Niveau 1 : pour les personnes n'ayant jamais fait de sport ou très sédentaires.
• Niveau 2 : pour les personnes plus expérimentées.
• Niveau 3 : pour les personnes plus entraînées.

Perdre peu à peu sa cellulite, c'est bien.

Tonifier et restructurer son corps en même temps : c'est mieux !

Son concept

Très simple, cette méthode allie :
• la **culture physique** (pour tonifier et restructurer),
• des **exercices basiques cardio-pulmonaires** (pour l'élimination calorique, donc cellulitique et graisseuse),
• une **hygiène alimentaire**,
• des **auto-massages**.

Son application

Elle se traduit par un programme d'activité physique de **15 minutes par jour** (5 fois par semaine), à pratiquer toute l'année avec, si possible, une séance d'élimination calorique le 6ᵉ jour, et **un résultat visible au bout de 3 mois**.
Chaque jour, l'entraînement proposé est différent, afin d'éviter toute monotonie et pour mettre en action le plus possible de groupes musculaires.

Ses avantages

• **Elle nécessite peu de temps.**
• **Elle ne requiert aucun moyen financier.**
• **Elle est excellente pour la santé.**
• **Elle donne du dynamisme.**

Ses compléments

Il est fortement conseillé, au moins 1 fois par semaine :
• de pratiquer un sport qui aide à la dépense de l'apport alimentaire : le jogging, la marche rapide, l'aérobic, la danse jazz (le 6ᵉ jour par exemple),
• de proportionner son apport calorique à ses dépenses en ayant une alimentation la plus variée et la plus équilibrée possible,
• de se faire faire des drainages lymphatiques sur les endroits sensibles,
• de s'offrir éventuellement des séances d'endermologie (technique d'élimination de la cellulite réalisée à l'aide d'un appareil).

Les cinq questions que vous vous posez

1. Pourquoi cette méthode est-elle basée sur l'activité physique ?

Il faut tout d'abord rappeler que, lors de leur activation, les muscles utilisent des acides gras ou du glycogène (sucre).

Au-delà de 30 minutes d'efforts, après que les muscles aient utilisé leur réserve de glycogène, ce sont les lipides des stocks adipeux qui sont utilisés comme combustibles.

De ce fait : plus vous faites d'efforts, plus vous brûlez votre glycogène et plus vous puisez dans vos graisses.

L'activité physique est donc un moyen naturel d'aider à l'élimination de la masse lipidique et de tonifier le corps en même temps.

Il est évident que cette méthode est basée sur 15 minutes d'entraînement quotidien, afin d'être à la portée de toutes, mais qu'il est profitable, si l'on peut, d'en augmenter la durée et l'intensité au fur et à mesure.

2. Quelles sont les activités sportives conseillées pour éliminer cellulite et graisse ?

Il faut préférer les activités qui durent relativement longtemps tels la marche rapide, la course à pied, le vélo.

Il s'agit d'être capable de prolonger un effort sur un rythme assez dynamique (pour que l'organisme ait le temps de puiser dans les graisses).

La culture physique énergique, en réduisant ou en occultant le temps de récupération, peut également aider à l'élimination du surplus graisseux.

En fait, pour un vrai résultat, c'est tout simple : il suffit d'augmenter ses dépenses physiques en ayant une alimentation équilibrée.

3. Une personne musclée stocke-t-elle les calories comme un sujet sédentaire ?

Lors de l'absorption des aliments, les muscles habitués à l'effort stockent l'apport glucidique.

Ainsi, la majeure partie des calories ne part pas en réserve dans la graisse.

Intéressant, n'est-ce pas ?

Petites infos

• Le corps contient à peu près 200 calories stockées en tant que glycogène.
• Les lipides sont, eux, tous en réserve dans la graisse du corps.

Important

Avant de vous lancer dans une activité sportive sérieuse, n'oubliez pas de demander conseil à votre médecin qui vous donnera son avis sur les aptitudes à l'effort de votre cœur, de votre tension et de vos articulations.

A éviter absolument !

• La sédentarité.
• Les régimes yo-yo.
• Les longues stations debout.
• La chaleur (expositions prolongées au soleil, le sauna, le chauffage par le sol, les bains trop chauds, les épilations à la cire chaude).
• L'excès de séances d'U.V.
• Les sports violents où l'on peut prendre des coups, comme les sports de combat.
• Les vêtements trop serrés.
• Le tabac et l'alcool.
• Les talons trop hauts.
• Croiser les jambes.

Les cinq questions que vous vous posez

En cas d'obésité

Il n'est pas conseillé de faire du sport en cas d'obésité. Il convient d'abord de maigrir et, seulement après, de pratiquer une activité physique adaptée sous contrôle médical.

En effet, beaucoup d'accidents ont pu être constatés dans le cas de personnes suivant un régime hypocalorique et se mettant subitement à faire du sport en excès.

A faire en overdose

- Une activité physique régulière.
- Des massages et automassages.
- Des séances de relaxation pour déstresser.
- S'enduire de produits amincissants.
- S'hydrater convenablement.
- Prendre le temps de s'alimenter de façon équilibrée (manger de tout en proportion raisonnable).
- Dormir les jambes suffisamment surélevées.
- Porter des collants de massage.

4. Pourquoi, lorsque l'on se remet à pratiquer un sport, a-t-on l'impression d'être plus lourde sur la balance ?

Cela n'est pas une impression !

En effet, le muscle inactif depuis un laps de temps assez long doit intensifier son apport en glycogène et en eau.

C'est cela qui crée une différence sur la balance.

Mais rassurez-vous : cela ne dure pas et, rapidement, vous constaterez que votre poids initial revient ou diminue.

N'oubliez pas cependant que la masse musculaire est plus lourde que la graisse et que, dans l'ensemble, les personnes musclées pèsent plus que les non-musclées.

5. Quels sont les autres bienfaits d'une activité sportive dynamique et endurante en plus de brûler de l'énergie ?

Le sport (en général) fait diminuer le «mauvais» cholestérol et le taux de triglycérides, augmente le «bon» cholestérol.

Il permet de maintenir un poids constant sans beaucoup de stockage graisseux. Il entretient l'amplitude articulaire et l'état osseux.

Il peut être bénéfique à certains diabétiques.

Il entretient ou améliore le système cardio-pulmonaire, réadapte certaines zones musculaires à l'effort et réharmonise la silhouette.

Une activité sportive spécifique d'endurance sous contrôle médical est également conseillée aux personnes victimes d'un infarctus du myocarde.

Ce type de rééducation sportive diminue le risque de mortalité et surtout de récidive.

Si le sport n'augmente pas la longévité, il permet en tout cas de mieux vivre sa vieillesse et d'avoir une autonomie physique plus grande.

L'activité sportive a également une influence psychologique non négligeable, garantissant un certain calme mental.

La cellulite

Définition

Etymologiquement, cela signifie «inflammation cellulaire», mais «altération des tissus adipeux» serait plus juste. Elle se traduit, en effet, fréquemment par des œdèmes localisés, des cellules graisseuses volumineuses, une circulation sanguine défectueuse et aussi un endommagement du tissu conjonctif.

Elle se manifeste par un aspect de la peau appelé «peau d'orange», parfois uniquement visible quand on la pince. C'est sur les cuisses, les fessiers, les genoux et le ventre qu'on la trouve le plus souvent. La cellulite peut avoir diverses origines comme les caractéristiques génétiques, l'influence des hormones sexuelles féminines, l'alimentation déséquilibrée, les problèmes circulatoires, l'inactivité, le stress.

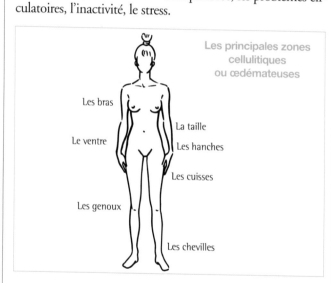

Les principales zones cellulitiques ou œdémateuses

Les bras
Le ventre
La taille
Les hanches
Les cuisses
Les genoux
Les chevilles

• **Les hormones sexuelles féminines (progestérone et œstrogènes)** sont sécrétées par les ovaires et ont un rôle prépondérant dans les localisations graisseuses chez la femme.

Ce sont elles qui aident à la multiplication des cellules précurseurs des cellules graisseuses, appelées préadipocytes.

Elles jouent également un rôle majeur dans la transformation des préadipocytes en adipocytes, sur leur nombre, leur taille et leur stockage. Les désagréments peuvent également venir d'un surnombre d'œstrogènes qui crée un processus de rétention d'eau.

Comment constate-t-on un état cellulitique ?

Tout simplement en pinçant la peau au niveau des hanches, des genoux, des cuisses ou des fessiers.

On peut alors observer le fameux aspect «peau d'orange» si peu esthétique.

Quelle est la taille d'un adipocyte et combien en possède-t-on ?

Ils mesurent environ 80 microns. Ils sont au nombre de plusieurs milliards.

Comment fonctionne un adipocyte ?

L'adipocyte stocke le triglycéride (lipide formé par l'estérification du glycérol par trois acides gras) sous forme de graisse, puis la libère au fur et à mesure des besoins énergétiques. Il peut multiplier sa taille par soixante et possède des récepteurs aux hormones nerveuses.

Les lobules (rassemblement d'adipocytes) cloisonnés par le tissu conjonctif possèdent des parois verticales.

Une injustice ! En effet, ceux des hommes ont des parois obliques qui glissent les unes sur les autres sans aspérités inesthétiques, tandis que les lobules féminines forment la fameuse «peau d'orange».

La cellulite

• **L'alimentation déséquilibrée**

Il est vrai que l'excès de sucres rapides ou de lipides engendre un déséquilibre favorisant la venue du fléau.
L'ingurgitation désordonnée des aliments et l'absorption d'apéritifs ou de vins en quantité déraisonnable y contribuent fortement.
Il ne faut pas oublier non plus qu'une mauvaise alimentation peut occasionner certains types de constipations.
Il peut s'ensuivre alors une accumulation de déchets non-éliminés dans les tissus interstitiels. Ceci peut provoquer également une cellulite naissante.

• **Les problèmes circulatoires**

Ils peuvent être responsables du processus de développement cellulitique.
Si on est jeune et sujette à ce genre de problème, il importe de suivre un traitement préventif contre la fragilité capillaire et veineuse.

• **Action du stress intense sur la cellulite**

Il intervient par l'intermédiaire des hormones, car le stress génère une sécrétion hormonale de cortisol des glandes surrénales.

Ceci engendre généralement :
- une rétention d'eau en raison de la perméabilité capillaire,
- une plus grande sédentarité graisseuse,
- une élévation du taux de sucre dans le sang.

• **Quelques facteurs favorisent la venue de la cellulite :**
- un surcroît d'œstrogènes,
- un déséquilibre hormonal à la puberté,
- la prise d'une pillule surdosée en œstrogène,
- une grossesse,
- un traitement mal adapté pour la ménopause,
- le fameux syndrome prémenstruel (qui engendre souvent rétention d'eau et prise de poids).

Les différentes typologies de cellulite

Il est possible d'en distinguer trois :

• La cellulite dite «molle»
Elle est très courante et concerne plutôt les femmes approchant de la cinquantaine. Cependant, on la trouve également chez les personnes très sédentaires. On la reconnaît à la peau distendue, comme altérée. Les tissus semblent avachis. On la remarque plus lorsque la personne est sujette à des variations de poids.

• La cellulite dite «dure»
Elle concerne les sujets jeunes et peut être douloureuse. Son aspect est beaucoup plus dense.

• La cellulite dite «scléreuse»
Elle se traduit par des plaques cellulitiques flasques, annexées de sortes de petites nodosités compactes à densité fibreuse. La couleur de la peau est très pâle et les fibres élastiques sont fréquemment cassées.
Elle fait souvent son apparition au moment de la ménopause, ou parfois juste après.

Peut-on souffrir de plusieurs types de cellulite en même temps ?

Oui ! Une personne peut avoir fabriqué différentes cellulites à divers moments de sa vie.

La grossesse engendre-t-elle de la cellulite ?

Le plus souvent : oui !
Ce sont les sécrétions d'œstrogène et de progestérone qui, en agissant sur le système vasculaire, favorisent l'apparition d'une masse cellulitique.
Il faut aussi noter que de nombreuses futures mamans se relâchent un peu en cette période particulière. Il importe donc de se faire suivre par un diététicien pour éviter une trop grande prise de poids ainsi que des déséquilibres alimentaires.
Beaucoup de femmes enceintes stoppent également toute activité physique, alors que certaines peuvent leur être bénéfiques.
L'apparition de la cellulite en période de grossesse est souvent l'aboutissement de plusieurs facteurs.

Enceinte et constatant l'apparition de cellulite, que pouvez-vous faire ?

Si votre grossesse se déroule normalement (et, bien sûr, avec l'assentiment de votre médecin), continuez à pratiquer vos exercices pour les fessiers en variant la vitesse d'exécution. L'erreur est de stopper toute activité physique dès les premiers signes de grossesse. Il ne s'agit pas de prendre des risques inconsidérés en pratiquant de l'aérobic, mais de réaliser des exercices adaptés en toute sécurité.
N'oubliez pas non plus de vous masser en douceur les hanches, longuement, afin d'activer votre circulation.

Petits rappels anatomiques

Pour votre info

Plus on est musclée, plus on brûle de calories !
Dans un corps entraîné, les calories sont très vite utilisées par les muscles. Cela engendre une diminution des zones adipeuses !
Il faut cependant s'entraîner à une allure relativement dynamique, sur plus d'une demi-heure par exemple.
Il n'est cependant pas toujours facile d'avoir une évaluation exacte des dépenses caloriques et énergétiques.
Cela varie en fonction de chaque personne. Si l'on prend l'exemple d'un parcours de 10 km, il faut savoir que l'énergie dépensée est identique quelle que soit la durée.
La solution idéale pour brûler ses calories au maximum : avoir une masse musculaire de qualité suffisante, varier les types d'activités et s'entraîner suffisamment longtemps.

Les bons groupes musculaires

Exercer ventre et fessiers est une excellente chose, mais il convient d'avoir un minimum de connaissances anatomiques et physiologiques pour entraîner les bons groupes musculaires.

En effet, si vous travaillez de façon anarchique, vous risquez de surdévelopper certains muscles, au détriment des autres. Le résultat risque d'être peu esthétique au fil des années et d'engendrer un déséquilibre certain de la musculature.

Ainsi, par exemple, pour les fessiers, suivant les exercices que vous faites, vous améliorez le haut, le bas ou le côté des hanches.

Nombreuses sont les pratiquantes qui sont induites en erreur et exercent la partie intermédiaire des fessiers, croyant améliorer leur partie basse.

Les quelques informations générales qui suivent n'ont qu'un but : vous aider à ne pas vous tromper !

Souvenez-vous...

Le muscle est constitué de fibres musculaires regroupées dans un tissu conjonctif appelé aponévrose. Il se termine par deux tendons reliés aux os.
• Il existe des muscles rouges riches en myoglobine (pigmentation proche de celle du sang, l'hémoglobine).
Ils ont pour rôle de soutenir un travail plutôt puissant et qui perdure.
• Les muscles blancs, dont les fibres sont serrées et grêles avec cytoplasme (partie de la cellule contenant le noyau), ne possèdent pas de myoglobine.
Ces muscles ne soutiennent ni un effort puissant ni une longue durée d'effort.

Petits rappels anatomiques

Vos hanches

• **Sur le plan superficiel se trouvent :**

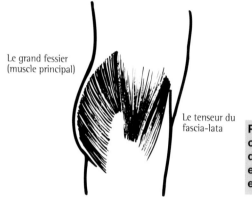

Le grand fessier
(muscle principal)

Le tenseur du
fascia-lata

Les muscles du bassin se situent sur trois niveaux :

• le plan superficiel,
• le plan moyen,
• le plan profond.
Il importe d'activer ces trois plans.

Pour entretenir les muscles : courez, faites des élévations des jambes (à votre rythme, et en progression, bien entendu !).

On exerce plutôt le **tenseur du fascia-lata** lorsqu'on réalise ce type de mouvement :

Rotation interne de la jambe tendue

On exerce entre autres le **grand fessier** (car en synergie sur un même mouvement on active plus ou moins divers ensembles musculaires) lorsqu'on pratique, par exemple, cet exercice :

Élévation à la verticale
à partir de la position accroupie

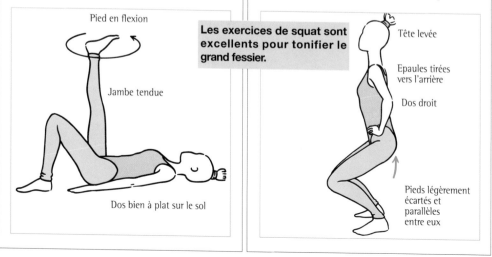

Pied en flexion

Les exercices de squat sont excellents pour tonifier le grand fessier.

Jambe tendue

Dos bien à plat sur le sol

Tête levée

Epaules tirées
vers l'arrière

Dos droit

Pieds légèrement
écartés et
parallèles
entre eux

Petits rappels anatomiques

Remarque

Lorsqu'on marche, ou qu'on éloigne la jambe de la hanche, on exerce entre autres le moyen fessier.
Ce muscle est adducteur (qui s'écarte) de la hanche.

Il est tonifié par le saut en hauteur et la course à pied, par exemple. Il est sollicité lorsque le poids du corps est transféré avec force d'un pied sur l'autre.

• **Sur le plan moyen se trouve :**

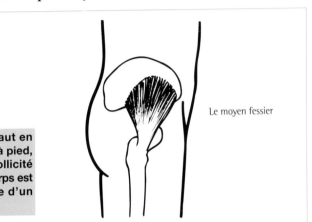

Le moyen fessier

On exerce le **moyen fessier** dans le cadre de ces deux exercices :

Rotation externe de la jambe

Dos droit

Pied en flexion

Jambe tendue

Jambe semi-fléchie

Elévation latérale de la jambe tendue

Jambe tendue

Dos droit

Angle droit

Angle droit

Petits rappels anatomiques

• Sur le plan profond se trouvent :

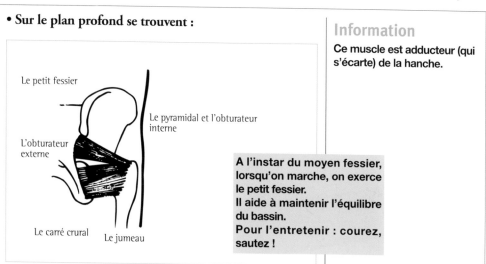

Le petit fessier

Le pyramidal et l'obturateur interne

L'obturateur externe

Le carré crural

Le jumeau

Information

Ce muscle est adducteur (qui s'écarte) de la hanche.

A l'instar du moyen fessier, lorsqu'on marche, on exerce le petit fessier.
Il aide à maintenir l'équilibre du bassin.
Pour l'entretenir : courez, sautez !

Cet exercice actionne, entre autres, le **petit fessier** :

Montées des genoux

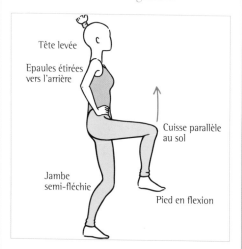

Tête levée

Epaules étirées vers l'arrière

Cuisse parallèle au sol

Jambe semi-fléchie

Pied en flexion

Cette technique met, entre autres, en action le **pyramidal** (ou muscle piriforme), le **jumeau supérieur**, le **jumeau inférieur**, l'**obtureur externe**, l'**obturateur interne** et le **carré crural** :

Rotation externe d'une jambe

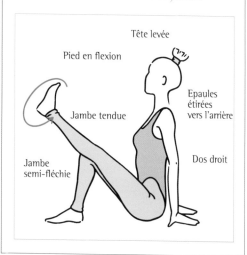

Tête levée

Pied en flexion

Jambe tendue

Epaules étirées vers l'arrière

Jambe semi-fléchie

Dos droit

Petits rappels anatomiques

A l'instar des hanches, les muscles se placent sur trois niveaux :

- la couche superficielle,
- la couche moyenne,
- la couche profonde.

Votre ventre

• **Sur le plan superficiel se trouvent :**

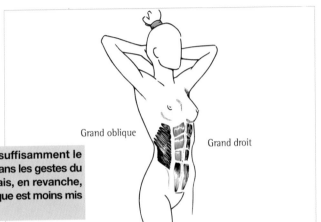

Grand oblique

Grand droit

> On sollicite suffisamment le grand droit dans les gestes du quotidien mais, en revanche, le grand oblique est moins mis en action.

Le **grand oblique** est sollicité lors de torsions du buste, comme dans le cadre de cet exercice :

Le genou touche le coude opposé

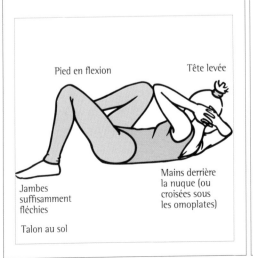

Pied en flexion

Tête levée

Jambes suffisamment fléchies

Talon au sol

Mains derrière la nuque (ou croisées sous les omoplates)

Le **grand droit** travaille lorsque le bassin se rapproche du thorax lors de cet exercice :

Rapprochement vers soi des jambes serrées et tendues

Pieds en flexion

Jambes tendues au maximum

Bras en croix

Tout le dos en appui sur le sol

Petits rappels anatomiques

• **Sur le plan moyen se trouve :**

Le petit oblique

Le petit oblique entraînant les rotations, les torsions de buste avec un bâton posé sur les épaules sont recommandées pour affiner la taille et lutter ainsi contre les petits bourrelets.

A l'instar du grand oblique, le **petit oblique** est sollicité dans le cadre de cet exercice.

Toucher l'extérieur des jambes avec la main

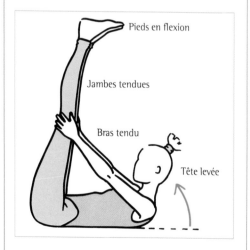

Pieds en flexion

Jambes tendues

Bras tendu

Tête levée

• **Sur la couche profonde se trouve :**

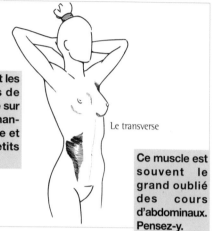

Le transverse

Ce muscle est souvent le grand oublié des cours d'abdominaux. Pensez-y.

Le transverse est mis à contribution lors de cet exercice :

Toucher le talon avec la main

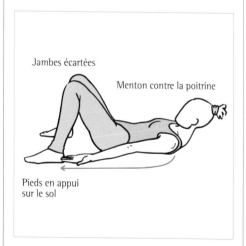

Jambes écartées

Menton contre la poitrine

Pieds en appui sur le sol

Méthodes
et régimes

Certes, méthodes, engins et régimes de toutes sortes pullulent et il est parfois difficile de faire le bon choix.

Ils sont surtout intéressants en tant que compléments (tel le drainage lymphatique) à une activité sportive et à une hygiène alimentaire.

Mais il est une certitude incontournable : tous ces moyens ont un effet non-stabilisé ; leurs résultats ne perdurent pas.

Ils sont le plus souvent onéreux, mais agréables. Donc, si vous le pouvez, n'hésitez pas à les essayer, à les combiner et, surtout, à les adapter à votre propre cas.

Actions à domicile

Deux conseils

• Ne faites pas de la pressothérapie si vous êtes pressée, car il faut le faire au moins pendant 20 minutes.
• Il est toujours mieux de demander l'avis de son phlébologue ou de son médecin traitant avant de se lancer dans une longue série de séances.

Votre question

Est-ce indolore ?
Oui ! Quant au côté agréable de ce système, les avis sont partagés.

Deux conseils

• Utilisez cette méthode en faisant votre ménage, par exemple : évitez de sortir avec un bermuda sous les vêtements car cela pourrait vous sembler inconfortable.
• N'appliquez pas trop de crème : l'excès reste en surface et cela ne sert à rien. De même, ne serrez pas trop le film plastique.

La pressothérapie à domicile

Elle consiste en des jambières effectuant en alternance des compressions sur les jambes à rythme régulier.
Les jambes sont reliées à un appareil branché sur secteur.

• Son objectif
Remplacer le drainage lymphatique manuel, favoriser la circulation sanguine et lymphatique, réduire ainsi les sensations de douleur, de gonflement, des états variqueux et cellulitiques.

• Qu'en penser ?
L'appareillage proposé au public se rapproche beaucoup de ceux utilisés par les professionnels.
Toutefois, il ne remplace absolument pas le drainage lymphatique manuel, ni sa sensation de détente extrême.

• Son action sur la cellulite
On constate, en effet, une légère amélioration de l'état de la peau d'orange à long terme.

La méthode d'enveloppe

Elle consiste à appliquer une crème amincissante sur les régions cellulitiques ou adipeuses, puis de les envelopper avec un film.
On enfile ensuite un bermuda, et on peut vaquer à ses occupations... à la maison de préférence.

• Son objectif
Faire mincir en attaquant les adiposités à l'aide de cette méthode car :
- la crème constitue l'agent actif,
- le film provoque la sudation et renforce l'action draineuse,
- le bermuda conserve la chaleur et aide à l'accélération du processus amincissant en maintenant le film en place.

• Qu'en penser ?
Cela peut être une méthode complémentaire d'une autre plus médicale.
Elle requiert toutefois un minimum de disponibilité.

• **Son action sur la cellulite**
On peut constater une légère diminution de la masse molle au bout de plusieurs essais. Pour chaque individu, le résultat est différent mais, en aucune façon, une personne présentant une surcharge pondérale extrême ne s'est retrouvée svelte à l'aide de ce moyen.
A essayer car, dans la lutte contre le fléau, il faut tout tenter en conjuguant le plus possible des méthodes non contradictoires.

Les culottes, collants et shorts «ventre-plat» et «remonte-fesses»

Changement de silhouette assuré en dix secondes !

• **Son objectif**
Permettre aux femmes de pouvoir porter une robe près du corps, après avoir pris deux kilos, et affiner harmonieusement la silhouette à volonté.

• **Qu'en penser ?**
Il est tout à fait vrai que ces nouveaux sous-vêtements qui envahissent les supermarchés tiennent leurs engagements et rendent moins visibles les bourrelets graisseux ou cellulitiques. De plus, ils ne compriment pas le corps et sont (si l'on a pris la bonne taille...) le plus souvent solides et agréables à porter. Mais attention : ils ne constituent qu'un palliatif temporaire à un inesthétisme existant.
A n'utiliser que ponctuellement, en cas d'urgence, en prenant la sage décision que, très bientôt, on n'en aura plus besoin !

• **Leur action sur la cellulite**
Elle est nulle.

Ne pas confondre ces produits avec ceux qui «massent» les hanches ou les jambes. Beaucoup de ces derniers ne répondent pas à l'attente.

Votre question

Quels sont les principaux ingrédients du produit amincissant et anti-cellulitique de cette méthode ?
La crème contient du lierre, des algues, de la menthe, des huiles essentielles et même... de la cannelle.
Et le reste ? Le film est en plastique PVC. Quant au bermuda, il est constitué d'un mélange de coton (95 %) et d'élasthane (5%).

Deux conseils

• **N'enfilez pas ces vêtements à la va-vite : prenez le temps de les mettre bien en place.**
• **Evitez de les porter au quotidien, afin de laisser à vos muscles toute liberté d'action lors des mouvements, pour qu'ils se renforcent mieux : trop les assister les rend paresseux !**

Votre question

N'est-ce pas gênant de porter de tels sous-vêtements toute la journée ?
Si vous choisissez un produit bien coupé : il n'y a aucun problème.
En revanche, si vous détestez être légèrement comprimée, ces nouveautés ne sont pas pour vous.

Actions à domicile

Deux conseils

• **Si vous achetez un de ces appareils : demandez à votre kinésithérapeute où placer les électrodes.**
• **Si vous n'êtes pas très sportive et que vous venez d'accoucher, ce moyen peut être utilisé pour réactiver vos muscles abdominaux dans un premier temps (mais il ne remplacera pas les exercices).**

Votre question

Quelles sont les fréquences utilisées ?
Elles varient en général de 50 à 70 hertz.
Les temps de contraction sont de 1 à 5 secondes.

Les contre-indications de l'électrostimulation :

• **Porter un pacemaker.**
• **Etre enceinte.**
• **Placer les électrodes sur un muscle endommagé.**

L'électrostimulation à domicile

Il s'agit de placer des électrodes sur les parties corporelles choisies et d'envoyer une stimulation électrique faisant ainsi tressaillir les muscles.

• **Son objectif**
Raffermir, remodeler, tonifier la masse musculaire.

• **Qu'en penser ?**
Difficile de donner un avis général, car cela dépend du type d'appareil utilisé et de son rôle au niveau de la stimulation musculaire (car cette méthode est utilisée également en rééducation).
Les professionnels, par exemple, utilisent des appareils extrêmement performants, pour soigner les divers maux des sportifs. Quant à ceux vendus au public, ils sont parfois attrayants par leur prix mais, leur stimulation électrique étant trop faible, le résultat n'est pas celui espéré.
L'électrostimulation est un excellent complément à une pratique sportive (certains athlètes de haut niveau y ont recours à l'aide d'appareils sophistiqués utilisés par des spécialistes) à condition de bien disposer les électrodes et d'utiliser un appareil de qualité.
Leur action bénéfique sur les muscles ne peut être remise en cause, mais le miracle n'existe pas et rien ne remplace une bonne séance d'activité physique : l'électrostimulation ne peut être qu'une méthode complémentaire !

IMPORTANT : Ne choisissez pas un appareil où les électrodes sont auto-collants, car au bout d'une quarantaine de séances, ils n'adhèrent plus !

• **Son action sur la cellulite**
Le résultat n'est pas probant, pour ne pas dire inexistant, car c'est plutôt l'électrolipolyse qui est utilisée comme action anti-cellulite. Soyez vigilante car certains fabricants d'appareils d'électrostimulation stipulent sur leur notice qu'ils ont une action anti-cellulitique : c'est faux !

Gels, huiles et crèmes amincissantes anti-cellulitques, produits de douche

Ils sont légion, et tous plus sophistiqués les uns que les autres : rien à voir avec les produits d'il y a 20 ans ! Leur grand intérêt : ils ne nécessitent que peu de temps, 1 à 2 minutes par jour, pour les étaler sur le corps.

• Leurs objectifs

Autrefois, ils n'avaient qu'une vocation : faire mincir !
Aujourd'hui, ils ont pour objectif de drainer, d'affermir, de tonifier et de restructurer.

Chaque marque a son propre système pour essayer d'être performante. A titre d'exemple, citons la découverte de «l'agent régulateur de stockage» d'une marque très connue : il freine la formation de nouvelles graisses ainsi que leur stockage, et empêche le glucose de fusionner avec les acides gras libres dans l'adipocyte.

Une autre marque vend un stimulateur anti-capiton avec ses produits afin d'en optimaliser l'action.

• Qu'en penser ?

Il est plus bénéfique, après la douche, de se passer un produit spécifique contre la cellulite qu'un lait ordinaire pour le corps. La peau est plus douce et semble mieux nourrie qu'avec un cosmétique classique.
L'utilisation des stimulateurs avec les produits aide aux échanges cellulaires et est moins nocive pour les capillaires que le gant de crin, par exemple.
Un inconvénient : leur application n'est pas toujours agréable.

• Leur action sur la cellulite

A l'œil nu, au bout d'un mois, à raison d'une application journalière, on ne remarque aucun résultat spectaculaire au niveau de la cellulite.
En revanche, la peau a vraiment meilleur aspect.
C'est souvent beaucoup plus le régime ou l'hygiène alimentaire conseillée sur la notice qui est efficace, plutôt que le produit lui-même.

Votre question

Quand est-il plus profitable d'appliquer les produits ? Certaines crèmes sont programmées pour une action le soir, d'autres pour une action la nuit.
Cependant, elles s'appliquent toutes après la douche, le gommage et, de préférence, après un sauna ou un hammam, lorsque les pores de la peau sont bien dilatés.
N'oubliez pas : avant tout, respectez bien les notices d'utilisation et ne cherchez pas à surdoser.

Deux conseils

• N'employez pas en même temps deux produits différents en vue d'un meilleur résultat.
• Ne vous contentez pas d'employer des crèmes ou des gels pour éliminer votre cellulite, car ils sont seulement complémentaires.

Les techniques en institut

Deux conseils
• **Evitez de faire votre séance de pressothérapie le jour où vous vous êtes fait épiler.**
• **Ne portez pas de mi-bas qui compriment la circulation sanguine.**

Votre question
Combien de temps dure une séance de pressothérapie ? En règle générale, 30 minutes, et le massage qui suit 15 à 20 minutes.

Deux conseils
• **Abstenez-vous de pratiquer l'électrolipolyse si vous êtes enceinte ou si vous avez un pace-maker.**
• **Pour constater vraiment la fiabilité de la méthode, faites de l'électrolipolyse seule, pendant une dizaine de séances. Ajoutez seulement ensuite l'hygiène alimentaire et l'activité physique, si ce procédé est efficace sur vous.**

La pressothérapie

Elle est presque identique à celle proposée aux particuliers puisqu'elle s'effectue également à l'aide de bottes ou hanchières (voir pressothérapie à domicile page 22).

• **Son objectif**
Décongestionner le tissu, relancer le métabolisme, avoir une action anti-eau et, éventuellement, raffermir un peu les tissus.

• **Qu'en penser ?**
La pressothérapie en institut est, bien sûr, plus surveillée qu'à domicile, et a l'avantage d'être également effectuée sur les bras à l'aide de manchons en cas de cellulite bracchiale ou de bras œdémateux.

Elle est souvent suivie d'un massage avec un produit spécifique, ce qui est très agréable et vraiment décontractant. Elle est assez onéreuse, car il faut au moins 12 séances pour un résultat sérieux.

• **Son action sur la cellulite**
Une légère amélioration peut en effet être constatée.
L'effet de lourdeur, par exemple, est atténué.
Ces séances peuvent être jumelées avec des séances de drainage lymphatique afin d'en optimiser l'action.
Cela reste cependant une méthode dont le bénéfice ne perdure pas à long terme.

L'électrolipolyse

Cette technique consiste à implanter des aiguilles de différentes longueurs dans les surcharges pondérales.
Elles sont reliées à un générateur qui envoie un courant électrique sous des formes diverses (continu, impulsions etc.), détruisant ainsi les adiposités.
Il n'est pas possible de conseiller un nombre précis de séances, car cela varie beaucoup suivant les patientes.
Les séances peuvent durer jusqu'à 1 h 30.

• Son objectif
Détruire les cellules graisseuses en aidant au renouvellement de celles du tissu conjonctif.

• Qu'en penser ?
Elle ne fait pas partie des méthodes les plus décontractantes ! Mais on peut constater que la peau paraît plus ferme et plus élastique dès la cinquième séance de traitement.
C'est peut-être aussi un moyen d'améliorer, entre autres, l'intérieur des cuisses.

• Son action sur la cellulite
Certaines femmes constatent une diminution de l'amas cellulitique, d'autres pas du tout. Il faut toutefois considérer cette technique uniquement comme méthode complémentaire. Lorsque l'on cesse les séances, la cellulite initiale réapparaît relativement rapidement.

Le drainage lymphatique à visée anti-cellulitique

Technique de massage indolore, né il y a un siècle, il consiste en des mouvements de pressions et de relâchements bien spécifiques.

Il se base essentiellement sur deux techniques :
- La première est destinée à l'évacuation de la lymphe vers les collecteurs sains. On la nomme manœuvre d'évacuation.
- La seconde a pour objectif la pénétration de la lymphe dans les vaisseaux lymphatiques en zone atteinte.

Il dure entre 30 minutes et 1 heure 30 suivant les praticiens... et leur sérieux.

• Son objectif
Faire diminuer le plus possible de masse cellulitique en améliorant les systèmes lymphatique et veineux.
Il faut noter également qu'en plus de favoriser la circulation de retour, il aide à la résorption des hématomes et œdèmes.

Votre question
Y a-t-il une différence entre l'électrolipolyse, la cellulolipolyse et l'adipocytolyse ? Non ! Il s'agit toujours de traiter à l'aide de l'électricité les cellules gênantes. Attention ! Les appareils utilisés ne sont pas tous identiques.

Deux conseils
• Faites-vous un gommage avant de vous faire faire le drainage.
• Si vous en avez l'occasion, suivez des cours d'aqua-gym ou faites des battements de jambes dans l'eau en complément des drainages. Cela constitue un massage drainant excellent !

Votre question
Qui est habilité à exercer les drainages lymphatiques ? Les kinésithérapeutes, les médecins spécialisés et, jusqu'à présent, les esthéticiennes diplômées. Les séances de drainage ne sont pas remboursées par la Sécurité sociale.

Les techniques en institut

Quels ingrédients trouve-t-on le plus souvent dans ces fameux produits amincissants et anti-cellulitiques ?

Ils varient bien évidemment en fonction des marques, mais sont fréquemment présents :
- La caféine
- Le lierre
- Le ginkgo
- De l'eau
- De l'alcool
- Du magnésium gluconate
- Du pré-rétinol
- De l'anacardier
- Des algues
- Du ruscus
- Du marron d'inde

Deux conseils
- **Ne faites pas deux séances d'endermologie trop rapprochées.**
- **N'oubliez pas de respecter les bases d'hygiène alimentaire durant la période de traitement afin de mettre le plus de chance possible de votre côté.**

• Qu'en penser ?
Se faire faire un drainage est vraiment un moment de bonheur !
Durant plusieurs heures, suivant le traitement, les jambes semblent vraiment légères... Evidemment, tout dépend de la personne qui le fait. Il y a, en effet, bien souvent une grande différence d'un professionnel à l'autre.
N'hésitez pas à changer, si vous n'êtes pas absolument satisfaite.

• Son action sur la cellulite
A raison de deux drainages d'une heure par semaine, un résultat positif a pu être constaté au bout d'un mois.
Malheureusement, dès que l'on arrête, l'état cellulitique revient ! C'est toutefois la méthode complémentaire la plus agréable.

L'endermologie
Elle consiste en des massages anti-cellulitiques réalisés à l'aide d'un appareil très sophistiqué.
Il existe différents programmes à adapter à chaque femme.
Cette méthode est apparue dans les années 85.
Le kinésithérapeute effectue tout d'abord un bilan corporel de la patiente afin de personnaliser le traitement.
Les massages mécaniques se réalisent avec le port d'une combinaison spéciale très fine. Ils durent en général 35 minutes et sont indolores ou presque.

• Son objectif
Eliminer l'aspect capitonné de la peau et faire diminuer fortement la cellulite, en augmentant la microcirculation locale.

• Qu'en penser ?
C'est un moyen agréable de lutter contre la cellulite, mais pas à la portée de toutes financièrement.
Il est profitable de jumeler l'endermologie à une activité sportive dynamique, telle la course à pied.

• Son action sur la cellulite

Tout à fait satisfaisant à raison de deux séances par semaine. La peau semble, en effet, plus tonique et les capitons diminuent un peu au bout d'un mois.

Le seul inconvénient est qu'au bout de deux mois d'arrêt, l'état initial réapparaît, et tout est à recommencer ....

De plus, il faut déterminer si c'est le respect d'une hygiène alimentaire qui entraîne la disparition de la cellulite ou l'action mécanique.

La balnéothérapie

Des jets d'eau soumis à différentes pression massent les zones à traiter dans une baignoire.

Ces séances d'hydrothérapie sont souvent complétées par des traitements à jets.

Il est également possible, depuis une vingtaine d'années, de faire de la balnéothérapie à l'aide de tapis à placer dans la baignoire, ou d'acheter tout simplement une baignoire avec balnéothérapie intégrée.

La balnéothérapie est très relaxante et agréable mais ne présente pas la puissance de l'appareillage des professionnels.

• Son objectif

Activer l'élimination des capitons en massant énergiquement la masse inerte et décontracter la masse musculaire en profondeur.

• Qu'en penser ?

Pas désagréable du tout !
En tout cas, cela détend réellement.

• Son action sur la cellulite

A raison de deux séances par semaine, on peut constater une amélioration relative de l'aspect «peau d'orange».

L'idéal serait de se faire faire un drainage lymphatique juste après, mais attention aux finances !

Votre question

Pratique-t-on l'endermologie sur d'autres zones que les hanches et cuisses ?
Bien sûr ! Sur toutes les zones à traiter, même sur le double menton !

Deux conseils

• N'allez pas chez le coiffeur juste avant.
• Si vous avez un quelconque problème de peau, demandez l'avis de votre dermatologue.

Votre question

Les risques de manque d'hygiène sont-ils vraiment minimes dans les instituts qui professent la balnéothérapie ?
Oui !
En général, la baignoire est entièrement désinfectée avec un produit bactéricide comme dans les centres de thalassothérapie.

Pensez à emmener lait ou huile pour le corps ensuite, car cela n'est pas fourni. En effet, le séjour prolongé dans l'eau dessèche un peu la peau.

Les techniques en institut

Deux conseils

• Dormez les jambes surélevés la nuit qui suit les séances afin de prolonger l'effet bénéfique du massage sur la circulation du retour.
• Demandez l'avis de votre esthéticienne si vous suivez une autre méthode simultanément, à base de crèmes, afin d'éviter tous risques d'allergies dus au mélange de produits.

Votre question

Peut-on obtenir des résultats en une seule séance ?
Non ! Le miracle n'existe pas !
Un conseil : mieux vaut investir une bonne fois pour 3 séances par semaine pendant un mois et entretenir après avec une seule. Vous pouvez entretenir aussi avec des auto-massages et des produits désinfiltrants.

Deux conseils

• Après l'enveloppement, enduisez les parties à traiter avec un produit amincissant de composition complémentaire à l'enveloppement. (Demandez conseil à l'esthéticienne.)
• Evitez de faire du sport le jour de l'enveloppement.

Votre question

Faut-il faire obligatoirement un gommage au préalable ?
C'est recommandé, afin que les produits pénètrent mieux dans la peau.

Le massage anti-cellulitique

Il commence souvent à l'aide d'un appareil qui masse, roule et aspire la peau tout à la fois. Il est ensuite suivi d'un massage manuel, à base de techniques de pétrissage, de pressions appuyées et de palpé-roulé d'une durée de 30 minutes.

• **Son objectif**
Avoir une action efficace anti-cellulite, tout en stimulant les cellules et en raffermissant les tissus.

• **Qu'en penser ?**
Il est un peu douloureux par moment sur les zones surchargées de cellulite, mais aucun doute : il est efficace ! Il convient toutefois de le faire au moins deux ou trois fois par semaine pour un résultat optimal assez rapide. Le côté onéreux de cette méthode peut toutefois être un obstacle.

• **Son action sur la cellulite**
Probant ! Au bout de trois semaines, à raison de deux ou trois fois par semaine : le résultat est là ! Certes, la cellulite ne disparaît pas, mais elle diminue. La peau a également un aspect plus nourri, plus sain, plus tonique.

Les enveloppements minceur

Il s'agit d'enduire le corps de produits spécifiques amincissants, souvent à base d'algues.

• **Son objectif**
Aider à l'élimination du capiton cellulitique en douceur.
Une séance dure environ 20 minutes.

• **Qu'en penser ?**
Il est indéniable que l'apparence trophique de la peau est améliorée et que les enveloppements répétés peuvent constituer une petite aide pour réduire la cellulite. En tant que traitement unique, c'est insuffisant, même avec deux séances par semaine.

• **Son action sur la cellulite**
L'aspect de la peau semble un peu plus tonique et assaini ; quant à la réduction purement cellulitique, il faut beaucoup de temps pour s'apercevoir d'une amélioration probante.

Les cures anti-cellulite en thalassothérapie

Elles comportent un mélange de plusieurs thérapies avec des moyens très performants.

Cela va de la pressothérapie à la frigothérapie, en passant par les douches à affusion.

C'est un bon moyen de modifier son hygiène de vie, et en particulier ses habitudes alimentaires.

La phytothérapie

C est une thérapie par absorption de plantes. Elle est reconnue pour améliorer la circulation sanguine.

Les plantes recommandées pour lutter contre la cellulite agissent plus ou moins directement sur la lymphe.

Certaines sont diurétiques et favorisent la diminution des gonflements œdémateux.

Les plantes les plus couramment utilisées sont : le caroube, la bourdaine, la prêle, la vigne rouge, le saule blanc, le petit houx...

L'oligothérapie

Elle consiste à absorber en faibles quantités des éléments comme le silicium, le nickel, le sélénium, le cobalt, le cuivre, le fluor...

Elle est en général utilisée comme appoint à un autre traitement complémentaire anti-cellulite.

L'application d'huiles essentielles de plantes

Il s'agit d'applications dermiques de solutions obtenues par pression ou distillation.

Ce sont des extraits à très forte concentration de produits actifs.

Ces derniers améliorent la micro-circulation, raffermissant et drainant les tissus.

On leur attribue également une action régénératrice.

Les plantes les plus utilisées sont : la palma-rosa, le cyprès, la camomille bleue, l'ylang-ylang et ... la carotte.

Ces cures associent souvent un régime diététique avec une dose spéciale de vitamine A, C, E à des applications locales de vitamines A acides (Trétinoïne et Acide Rétinoïque).

Important
Toute posologie doit être prescrite par un médecin.

Cette méthode est très profitable aux cheveux, à la peau, aux dents, aux reins et au foie.

Quelques régimes anti-graisse et anti-cellulite à la mode

Ces régimes ne sont absolument pas conseillés en synergie avec une activité sportive sérieuse.

Ils sont innombrables et il n'est pas possible de tous les citer ! La plupart des diététiciens et nutritionnistes n'en approuvent d'ailleurs que fort peu. Il importe quand même d'en citer quelques-uns car la plupart des femmes souffrant de cellulite ont aussi à perdre de la graisse.

Il est souhaitable cependant de citer ceux qui sont en ce moment médiatisés.

Votre question

Peut-on commencer ce type de régime en même temps qu'une activité sportive ?
Ce n'est pas conseillé. Il importe d'avoir une alimentation riche en sucres lents lors de pratiques sportives ; ce type de régime n'est pas du tout approprié !

Attention :

Certains types de cellulite résistent à la plupart des régimes. Et parfois, si la masse graisseuse diminue, le volume musculaire aussi, malheureusement.

Deux conseils

• Ne pas dépasser trois semaines de cure (sauf avis médical).
• Si vous faites ce régime, consultez votre nutritionniste ensuite sur une période assez longue, pour ne pas faire d'erreur au niveau de la stabilisation du poids.
Cette période délicate varie suivant les caractéristiques propres à l'individu et à ses activités.

Le fameux «régime soupe» à base de légumes lyophilisés

La soupe ne comporte que des légumes sans aucun autre adjuvant. Elle peut être consommée à volonté toute la journée. Ce «régime soupe» doit inclure des compléments alimentaires équilibrés afin d'éviter des carences.

• Son objectif
Faire mincir rapidement de la façon la plus équilibrée et stabiliser le poids d'une façon définitive.

• Qu'en penser ?
A l'instar de tous les régimes hypo-caloriques, il fait, bien sûr, mincir assez vite. Il est vrai qu'ingérer de la soupe évite de s'alimenter de façon anarchique, ce qui est bien.

Les conseils alimentaires, annexés à ce régime, évitent les erreurs grossières, sans trop d'effort.

Cette méthode peut cependant engendrer une fatigue si vous êtes une personne active.

A essayer uniquement avec l'accord de votre nutritionniste ou de votre diététicien, qui vous aidera à le personnaliser.

• Son action sur la cellulite
Sur certaines personnes, on constate une diminution du volume cellulitique au niveau du ventre, des hanches et des cuisses, sur d'autres (notamment les personnes déjà minces) la cellulite est toujours présente ; en revanche, comme lorsqu'on diminue son apport calorique journalier, les autres parties corporelles maigrissent aussi, tels la poitrine, les jambes, les bras,... Pas facile de modeler son corps à volonté !

Quelques régimes anti-graisse et anti-cellulite à la mode

Les régimes hyperprotéinés

On en parle beaucoup ! A l'origine, c'était une des bases du régime des culturistes pour «sécher», c'est-à-dire pour éliminer les graisses.

Ce type de régime se présente le plus souvent sous forme de poudre à mélanger avec de l'eau, du lait, ou sous forme de crème.

Il est conseillé de le substituer à l'un des repas quotidiens.

On le recommande le plus souvent en cure de trois semaines.

• Son objectif

Supprimer rapidement l'excédent de graisse.

• Qu'en penser ?

Attention aux régimes «yo-yo» ! Cette méthode requiert beaucoup de discipline et peut être efficace si elle est annexée à deux autres repas très équilibrés et bien en accord avec la dépense calorique journalière. Elle ne peut être adoptée définitivement.

Si vous décidez de le suivre sans conseil médical, ne prolongez pas trop longtemps l'expérience, car rien ne vaut plusieurs repas naturels et complémentaires !

• Son action sur la cellulite

Avant tout : parlez-en à votre nutritionniste !

Si vous êtes très sportive, ce type de régime hyperprotéiné, suivi par un spécialiste, peut donner des résultats.

Le praticien déterminera l'apport exact de protéines qui vous convient.

Il peut constituer un point de départ ponctuel avant l'adoption d'une hygiène alimentaire définitive.

Ce type de régime ne s'adresse pas à tout le monde, donne des résultats très diversifiés et ne peut être que temporaire.

Deux conseils

• Reprenez une alimentation normale dès que vous ressentez la moindre fatigue.

• Faites ce régime à une période où vous êtes moins stressée : les vacances par exemple !

Votre question

Doit-on ajouter quelques aliments à la prise de produits hyperprotéinés ?

Cela n'est pas spécifié dans la plupart des notices mais les spécialistes conseillent souvent un fruit en complément.

Suivez bien la notice

Et ne tombez pas dans l'excès de certaines adeptes de cette méthode qui ne se nourrissent que de crèmes protéinées : ce régime peut engendrer des carences importantes à long terme.

Quelques régimes anti-graisse et anti-cellulite à la mode

Deux conseils

• Ne prolongez pas trop ce type de régime.

• N'oubliez pas que ce n'est pas parce qu'un régime marche en général qu'il vous correspond et que, quelque part, il ne peut pas vous créer de petits inconvénients de santé.

Votre question

Les «régimes fruits» à la mode, qui consistent à ne manger que des ananas ou des pommes toute la journée, entraînent-ils des conséquences sur la santé ?
Ces régimes s'apparentent, indirectement, au régime dissocié. Il est bien évident que si vous ne mangez que des fruits pendant une journée tous les dix ans, les effets ne seront pas catastrophiques au niveau de votre équilibre. En revanche, opter pour ce genre de pratique à moyen et long terme est dangereux : cela crée des carences et une faiblesse qui peut être récurrente en raison du faible apport calorique de ce régime.
Comme beaucoup, il fait maigrir, mais les kilos reviennent très vite dès un retour à la vie normale.

Le régime dissocié

Comme son nom l'indique, il se base sur la notion d'incomptabilité des aliments.

Il est possible d'associer, par exemple, les légumes entre eux, les aliments protéinés avec des légumes, des fruits acides avec des fruits doux, mais il faut absolument dissocier les protides entre eux, les glucides et les lipides, les protides et les glucides, les fruits et les glucides.

En fait, il est censé supprimer la fermentation due à la consommation d'aliments incompatibles qui, à la longue, provoquerait un surplus pondéral en raison d'une digestion difficile.

• **Son objectif.**
Avoir un résultat d'amincissement relativement rapide.

• **Qu'en penser ?**
C'est un régime à faire surtout à domicile car il ne se prête pas très bien à la vie en société.

Il n'est pas toujours très agréable au niveau de la variété gustative.

Une constatation : il marche, et ce, relativement rapidement. Une diminution de la masse graisseuse peut être rapidement observée au bout d'un mois en moyenne. Mais attention : on reprend son poids initial dès qu'on se réalimente normalement.

• **Son action sur la cellulite**
Etant donné que l'action de ce régime se constate assez vite sur certaines parties du corps, cela peut entraîner un déséquilibre esthétique assez marqué (essentiellement si la personne est non-sportive), car certaines masses cellulitiques peuvent résister.

Quelques régimes anti-graisse et anti-cellulite à la mode

Le régime Weight Watchers

Très connu, il a pour principe de mincir en groupe en faisant un régime hypocalorique.

Des animateurs enseignent à leurs clients les principes de la diététique, et les erreurs à éviter.

Les adhérents se réunissent à peu près 3/4 d'heure, une fois par semaine, pour débattre d'un thème ; ils peuvent également suivre un programme par correspondance.

La pesée est hebdomadaire et chaque personne doit inscrire régulièrement les aliments qu'elle consomme sur un document spécifique.

• Son objectif

Réapprendre au candidat à la minceur à s'alimenter et à se surveiller.

• Qu'en penser ?

Cette méthode propose un apport alimentaire équilibré, ne présentant pas de carence.

Il est exact que l'on maigrit progressivement si les règles enseignées sont bien respectées.

Cela étant, pour une femme qui travaille, mange à la cantine de son entreprise et manque de temps, il est quand même un peu contraignant.

C'est également parfois difficile de parler en public de ses écarts.

• Son action sur la cellulite

Il agit en partie sur l'amas cellulitique, en raison du rééquilibrage nutritif.

Il se fait en progression, et on constate, à la longue, une diminution du volume inesthétique.

Mais, comme toute méthode, elle ne convient pas à tout le monde.

Votre question

Est-il possible d'avoir une activité physique sérieuse en synergie avec ce régime ?

Il est indispensable d'en parler aux animateurs afin qu'ils rééquilibrent le régime qui vous est destiné en conséquence.

Il est en effet déconseillé de pratiquer régulièrement un sport et de suivre un régime hypo-calorique.

Deux conseils

• N'hésitez pas à faire un essai (c'est payant...) si vous avez pas mal de poids à perdre, sans risque pour votre santé.

• Prenez quand même conseil, en plus, auprès d'un nutritionniste et... comparez.

Leurs conseils envers une pratique sportive sont très insuffisants

Il n'est pas toujours tenu compte de votre activité journalière dans le programme calorique qui est proposé. C'est un peu ennuyeux...

Un mot sur les autres régimes

Le régime fibres

On en parle beaucoup... Il est, bien sûr, basé sur une alimentation riche en fibres (que l'on trouve dans les fruits, les légumes, les céréales...).

Ce régime est entre autres favorable au transit intestinal et il est vrai qu'on ressent une relative sensation de satiété qui évite de trop manger.

Cependant, certains adeptes se plaignent d'irritations intestinales dues à cette suralimentation en fibres.

Son action sur la cellulite

Une amélioration est constatée par la fonte des graisses, mais elle ne résiste pas à la reprise d'une alimentation normale.

Le régime végétarien

Il s'agit d'un régime excluant le poisson et la viande (à ne pas confondre avec le régime végétalien qui supprime tous les produits d'origine animale, tels le lait, les œufs, etc.).

Il a l'avantage de réduire la consommation des graisses saturées et comporte beaucoup de soja, céréales, légumes, fruits issus de l'agriculture biologique.

Il est suivi la plupart du temps par des personnes mal informées et crée le plus souvent des carences à long terme.

Son action sur la cellulite

Il n'agit pas spécialement sur la perte de poids ou de cellulite.

Le régime Scarsdale

Il se base sur un régime hypocalorique de deux semaines comprenant des menus très précis.

Il convient d'être très motivée pour le suivre, et ... de ne pas aller au restaurant d'entreprise.

Il présente toutefois quelques carences à ne pas négliger.

A l'instar de bien des régimes : la reprise de poids est inévitable lors de son arrêt. Beaucoup de diététiciens le déconseillent.

Son action sur la cellulite

Une légère amélioration sur la cellulite a été constatée : évidemment, on mange moins !

Le régime Montignac

Ce régime en deux phases (phase 1 de régime, phase 2 de stabilisation), riche en lipides, ne fait pas l'unanimité malgré son succès.

En effet, la majorité des graisses qu'il comporte sont des graisses saturées.

Il a l'avantage d'être très convivial, riche en fibres et en protéines. Il est quand même déséquilibré en raison de l'exclusion du riz blanc, des pâtes, des pommes de terre, du pain...

Son action sur la cellulite

En règle générale, pas d'amélioration vraiment probante !

Les substituts de repas

Ils ont l'aspect de crème, de biscuits, de boisson ou de poudre ; leurs goûts ne sont pas désagréables, mais de là à affirmer que c'est délicieux ...

Pour :

Il est meilleur pour la santé et... la cellulite de consommer un substitut de repas que deux gâteaux, car il constitue un apport nutritionnel à peu près équilibré tout en étant hypocalorique. Cela permet aussi, si l'on a peu de temps, de ne pas sauter un repas.
Certaines personnes l'utilisent aussi en guise de «quatre heures».
Sur une période courte, ou occasionnellement (après une sortie au restaurant, par exemple), les substituts de repas peuvent être une bonne solution.

Contre :

Ils offrent une simplification de préparation et peuvent entraîner peu à peu la suppression des vrais repas.
Même sur une très courte durée, il convient de garder un repas équilibré normal et un petit déjeuner.
Ils n'ont pas tous la même valeur calorique ou protéinique et il est difficile de choisir le bon produit en fonction de ses dépenses physiques, du poids à perdre, de son état de santé etc. et d'en trouver un qui ne provoque pas un état de fringale intense au bout de trois heures. Préférez en conséquence ceux contenant suffisamment de fibres.
Ils ne constituent pas non plus une solution définitive à un problème pondéral, ils n'apportent qu'une aide ponctuelle.
On compense souvent l'apport hypocalorique des substituts par une prise de nourriture plus importante lors des repas normaux.

Petits conseils

• Ne confondez pas substituts de repas et compléments alimentaires.
• Lisez bien les étiquettes des substituts qui doivent contenir vitamines, sels minéraux, fibres, acides gras essentiels, protéines, glucides.
• Achetez plutôt des substituts à 350 ou 400 calories (plutôt que ceux à 200 calories), pour ôter la sensation de faim 2 heures après leur absorption.

Votre question

Est-il préférable d'acheter les substituts de repas en pharmacie plutôt qu'en grandes surfaces ?
Oui, surtout la première fois, vous pourrez ainsi bénéficier des conseils du pharmacien. Ensuite, vous pourrez en faire l'acquisition dans des hypermarchés.

La chirurgie esthétique

Les autres appellations de la liposuccion

Lipo-aspiration, lipoplastie, liposculpture.

Questions

• **Cette technique est-elle réservée au ventre ou à la culotte de cheval ?**
Non, elle traite aussi bien le double menton, les bajoues, les bras, les genoux, les bourrelets du dos...

• **Jusqu'à quel âge peut-on pratiquer ce genre d'intervention ?**
Il n'y a pas vraiment de limite d'âge, seul importe l'état de la peau, à savoir sa faculté d'élasticité.

• **Est-ce que la graisse revient ?**
Non ! Mais il est bien évident qu'il ne faut pas regrossir de façon inconsidérée.
Il n'est cependant pas possible de pratiquer une liposuccion générale sur le ventre, par exemple : le corps a besoin d'un minimum de graisse pour fonctionner.

L'intervention vedette contre la cellulite : la liposuccion

Elle consiste à introduire des petites canules très fines et longues sous la peau (qui évitent de la décoller) pour aspirer l'amas graisseux ou cellulitique.

Cette méthode traite toutes les sortes de graisse quelle que soit son origine.

Il n'y a quasiment pas de cicatrices et les dernières techniques permettent une excellente rétractation de la peau.

Déroulement d'une intervention (durée : entre 1 et 3 heures)

Le médecin examine la patiente, prescrit une analyse de sang et choisit l'anesthésie (générale ou neuroleptique - injection d'un tranquillisant par voie intra-veineuse).

Le jour de l'intervention, le médecin délimite les zones à traiter. Peu après une désinfection, il injecte un mélange d'eau stérile, d'anesthésique et d'adrénaline (pour obtenir un volume plus important des tissus et éviter les désagréments de saignements, œdèmes ou hématomes).

Ensuite, il effectue les incisions et introduit la canule reliée à un aspirateur.

L'opération se termine par les sutures des micro-incisions, et la pose de pansements compressifs. Il est tout à fait possible de retravailler peu de temps après. Les fils de suture sont retirés au bout d'une semaine.

Il est possible de ressentir un peu de fatigue à la suite de cette intervention.

Les centres d'entretien physique en action personnalisée

C'est tout nouveau

Ces centres des années 2000 ayant pour vocation d'entretenir le corps ou de le faire mincir fleurissent dans les grandes villes depuis peu. Ils ne présentent cependant pas tous une fiabilité et une honnêteté parfaites.

Aussi, soyez vigilante quant à votre choix !

Ne vous laissez pas séduire par une technologie novatrice au détriment d'une réelle compétence professionnelle.

Heureusement, certains cabinets brillent par leur sérieux et les résultats qu'ils obtiennent. C'est le cas du cabinet d'entretien physique de Jacques Lauvencourt, à Paris, diplômé d'Etat (BAECP).

Déroulement d'un suivi physique lors de la première séance

• Avant tout, les professionnels se présentent : on connaît les compétences des personnes qui vont vous prendre en mains (c'est rassurant !).

• A la suite d'un dialogue où l'on peut exprimer son désir, par exemple, d'éliminer sa cellulite, le spécialiste procède à un test très intéressant appelé « bio-impédancemétrie» (qui tient bien sûr compte du poids et de la taille).

Le résultat permet de connaître son taux en pourcentage et en poids :
- de masse grasse,
- de masse maigre sèche,
- d'eau,
- et des besoins du métabolisme de base (besoin journalier calorique).

Ainsi, il est possible, à partir de ces données, d'établir une stratégie performante d'élimination de la cellulite (après avoir rempli un questionnaire complet sur le mode de vie, goûts et habitudes alimentaires, activité professionnelle, etc).

On convient d'un objectif et d'une échéance.

Il est également possible de se faire faire un bilan complet de condition physique (au niveau cardio-pulmonaire, souplesse, résistance abdominale etc.), d'une part, pour savoir où l'on en est et, d'autre part, pour établir un plan d'entraînement sérieux dans la discipline que l'on pratique.

Vos questions

• Qu'est-ce que la dépressothérapie ?
C'est un peu comme l'endermologie (méthode mécanique du massage palpé-roulé) : c'est excellent pour les jambes lourdes.
Cette technique réactive la vascularisation.
Elle agit donc plus ou moins directement sur la cellulite en agissant sur les adhérences de la peau. Ce qui, d'un point de vue esthétique, corrige l'aspect «peau d'orange». Ce mécanisme aide à la récupération après un effort sportif.
Cette technique a trois effets importants :
- Elle décongestionne le tissu conjonctif.
- Elle améliore la tonicité de la peau.
- Elle simule la circulation sanguine.

• Est-ce que l'électromodelage est identique à l'électrostimulation ?
Oui !

Les centres d'entretien physique en action personnalisée

Les différents facteurs de la méthode varient suivant les individus mais regroupent souvent :

• un rééquilibrage alimentaire (en fonction des goûts) ;
• des séances de tonification musculaire (1 h à 1h 30) ;
• des séances de cellulolypolyse, ou dépressoplastie (ou les deux), de drainage lymphatique etc.

Voici ce que propose le cabinet de préparation physique de Jacques Lauvencourt et Catherine Lecorvé :
- Séance de renforcement musculaire individuelle.
- Gymnastique corrective : école du dos.
- Gym post et pré-natale.
- Electro-modelage.
- Massages/réflexologie.
- Programme minceur / anti-cellulite.
- Programme anti-stress confort.
- Bilan nutritionnel / bio-impédancemétrie.
- Dépressoplastie - lipolyse.
- Soins du sportif.

La cure minceur comprend un suivi nutritionnel pouvant aller de 5 à 10 semaines, comprenant des cours particuliers, des soins mécaniques localisés, des bilans de bio-impédancemétrie durant toute la cure. Un suivi psychologique est également assuré.

• Déroulement d'une séance type de tonification musculaire :
On commence par un échauffement bien adapté sur vélo ou rameur (ou éventuellement sur un tapis roulant avec un pulseur afin de contrôler les pulsations cardiaques), puis s'ensuit un programme d'activité physique avec des temps de récupération précis et bien adaptés.
Ces séances sont conformes à un indice de progression évalué à l'avance par le professionnel. Des séances d'électrostimulation peuvent compléter ces séances de tonification musculaire.

Jacques Lauvencourt se déplace également à domicile à la demande pour des séances d'une heure à une heure et demie si ses clientes n'ont pas le temps de se déplacer.
Il peut également, afin d'aider la personne à éliminer encore plus, l'entraîner ou bien lui faire découvrir les joies de la course à pied ou de la natation.
C'est vraiment un concept complètement ouvert sur l'attente de chaque individu et qui peut y répondre.

La composition corporelle par bio-impédance électrique

N'hésitez pas à vous le faire faire : c'est très instructif !
Et rassurez-vous : c'est indolore !
C'est en effet un courant de basse fréquence qui traverse le corps. Le spécialiste vous pose 2 électrodes (une sur le pied, l'autre sur la main).
Il attend quelques instants que vous soyez complètement décontractée afin de faire passer le courant durant quelques secondes. C'est tout !
Il n'y a plus qu'à lire le résultat et à le comparer au modèle type de composition théorique moyenne pour se situer.

C'est donc entre autres à partir de ce résultat concret que Jacques Lauvencourt va pouvoir établir un plan d'action pour chaque cas.
Ce test est refait environ 4 semaines après la mise en place de la stratégie (gym, hygiène alimentaire, massage etc.). Il est ainsi possible de comparer aisément les résultats.

Les centres d'entretien physique en action personnalisée

Sujet X   1,57 m   53 kg   45 ans   féminin

Composition corporelle du patient au 18/10/00

1. Masse grasse : 18 % (9,6 kg)
2. Eau totale : 64,3 % (34,1 l)
3. Masse maigre sèche :
   17,7 % (9,9 kg)

Ce test donne le taux de dépenses basales du corps, ce qui est indispensable pour constituer une base de régime minceur ou de rééquilibrage alimentaire...

COMPARAISON
Composition corporelle théorique moyenne

1. Masse grasse : 26 % (14 kg)
2. Eau totale : 53 % (28 l)
3. Masse maigre sèche :
   21 % (11 kg)

Sujet X   1,57 m   53 kg   45 ans   féminin

Evaluation de la Dépense Energétique de Repos : 1387 kcal/jour (c'est-à-dire simplement pour que le corps fonctionne : respiration, battements du cœur, thermo-régulation, etc. sans aucune activité).

Normes		Théorie	
	Sujet mesuré	Limite inférieure	Limite supérieure
IMC	21,5*	18	25
Masse grasse	9,6 kg (18,0%)*	9 kg	19 kg
Masse maigre	44,0 kg (82,0%)	35 kg (79 %)	43 kg (69 %)
Eau totale	34,1 l (64,3 %)	25 l (56 %)	31 l (50 %)
Masse maigre sèche	9,9 kg (17,7 %)	10 kg (23 %)	12 kg (19 %)

IMC (Indice de Masse Corporelle), voir explications pages suivantes.

* On constate que le sujet a un IMC normal puisqu'il est de 21,5 et donc compris entre 18 et 25 (référence).
** Sa masse grasse de 18 % est normale puisqu'elle correspond à 9,6 kg et que le minimum est de 9 kg.

Trois spécialistes à votre écoute

• M. FOURNIER   Masseur kinésithérapeute au Kremlin-Bicêtre.

• Dr PEREZ   Médecin du sport (mésothérapie, médecine manuelle, ostéo-
                       pathie, acupuncture, homéopathie) à Paris.

• Dr DEUTSCH   Spécialiste en esthétique médico-chirurgicale à Paris.

Il importe de connaître l'avis de spécialistes intègres dans le domaine, devenu commercial, des méthodes anti-cellulite.

Nouvelles techniques, centres minceurs novateurs, cabinets d'entretien physique, fleurissent actuellement dans tous les quartiers, mais répondent-ils vraiment à notre attente ?

M. FOURNIER, masseur kinésithérapeute, répond aux questions que vous vous posez.

QUESTION :
Que pensez-vous des dernières techniques anti-cellulite comme l'endermologie ou la cellulolipolyse ?

M. FOURNIER :
Bien qu'elles soient très médiatisées, ces méthodes n'apportent en aucun cas une solution fiable aux problèmes cellulitiques.

L'endermologie, ou la cellulipolyse, ne peut pas résoudre une problématique de surplus graisseux ou cellulitique important en deux mois !
L'endermologie et la pressothérapie n'exercent pas une action précise sur les zones traitées. Certes, il est possible de constater une amélioration de la masse cellulitique, notamment au niveau de l'aspect peau d'orange, au bout de plusieurs séances, mais cela ne perdure pas.
En effet, dès qu'on cesse les séances : la cellulite réapparaît dans son état originel.
L'amélioration est trop minime pour justifier l'investissement financier.
En effet, ces séances ne sont pas à la portée de toutes les bourses !

Trois spécialistes à votre écoute

QUESTION :
A votre avis quelle est la solution pour un résultat satisfaisant et durable ?

M. FOURNIER :
L'essentiel est, à mon sens, la prise de conscience de son corps et la détermination de changer en optant pour :
- une hygiène alimentaire,
- un rythme de vie saine,
- une activité sportive régulière,
- et éventuellement, en complément, une fois par semaine, une séance mixte de drainage lymphatique et de massage anti-cellulite.
L'idéal serait également de pratiquer quotidiennement ce très simple auto-massage pour les jambes et les hanches.
Procédez ainsi :

10 MINUTES MAXIMUM			
MASSAGE GLOBAL pour décontracter les muscles et les préparer à un autre type de massage	Phase 1	Massez votre jambe de bas en haut en remontant suivant la technique dite globale (laissez glisser vos mains sur vos jambes) Utilisez une huile ou du lait corporel *Temps nécessaire : 3 minutes (1,5 minute par jambe)*	
AUTO-DRAINAGE pour améliorer les circulations sanguine et lymphatique	Phase 2	Exercez, avec les mains bien à plat autour des jambes, des petites pressions successives en remontant *Temps nécessaire : 2 minutes (1 minute par jambe)*	
MÉTHODE DU PALPÉ-ROULÉ pour éliminer les déchets et agir sur la cellulite	Phase 3	Pincez la peau à pleines mains sur les zones surchargées, puis faites rouler la peau doucement, comme en endermologie *Temps nécessaire : 3 minutes*	
AUTO-DRAINAGE pour accélérer les échanges cellulaires	Phase 4	Recommencez la phase 2 *Temps nécessaire : 2 minutes (1 minute par jambe)*	

Trois spécialistes à votre écoute

Le Dr PEREZ, médecin du sport, spécialiste en mésothérapie, médecine manuelle, ostéopathie, acupuncture, homéopathie, donne également son avis.

QUESTION :
Les techniques modernes : pressothérapie, endermologie sont-elles aussi performantes que leur publicité le laisse entendre ?

DR PÉREZ :
Elles constituent uniquement des méthodes d'appoint peu efficaces, dont les effets disparaissent dès qu'on arrête le traitement. Elles ne se suffisent à elles-mêmes en aucun cas.

QUESTION :
Que préconisez-vous pour lutter contre la cellulite ?

DR PÉREZ :
Je conseillerai de se préoccuper de diététique, d'éviter ainsi de se nourrir de façon anarchique, et d'avoir une activité sportive régulière. Une heure par jour de gymnastique, par exemple, et de la marche permettent d'éviter les désagréments de la sédentarité. Il est tout à fait possible, en complément, de faire de la mésothérapie sur les zones à traiter spécifiquement.

QUESTION :
Comment aborder la reprise d'une activité physique ?

DR PÉREZ :
La pratique sportive tient une place importante dans la lutte anti-cellulite et anti-graisse mais il convient de ne pas commencer à vous entraîner sans un minimum de précaution, si vous avez arrêté le sport depuis longtemps. Avant tout, consultez un médecin de médecine sportive qui vous fera faire un examen cardio-vasculaire (si vous avez plus de 40 ans), un électrocardiogramme et une épreuve de résistance à l'effort.
Il est logique d'agir progressivement et de commencer par une activité dans l'eau comme la natation ou l'aqua-gym et, seulement après, de s'adonner à des disciplines terrestres (gym, jogging etc.).
Les salles de remise en forme sont aujourd'hui toutes équipées d'un espace cardio-training qu'on on ne saurait trop conseiller aux candidates à l'élimination des calories.
Faites-le toutefois sous les directives d'un professionnel et n'oubliez pas ces trois préceptes pour une corps en forme :
- s'hydrater suffisamment,
- tonifier son corps,
- assouplir ses articulations.

L'avis d'un spécialiste en esthétique médico-chirurgicale : le Dr Jean-Jacques DEUTSCH.

Auteur, entre autres, de : *La beauté, Je sais qui nous soigne, Les saisons de la peau, Restez jeune à tout âge.*

QUESTION :
Qu'y a-t-il à retenir en ce qui concerne les traitements anti-cellulite de ces dernières années ?

DR DEUTSCH :
Le point important est qu'on ne se repose plus sur une seule technique mais sur un ensemble de méthodes adaptées à chaque patiente.
En résumé, la cellulite de chaque femme doit être traitée de façon personnalisée.
La méthode peut être constituée, par exemple, d'électrolipolyse, d'ultra-sons par voie externe et de mésothérapie, ou de massages palpé-roulé et de mésothérapie, ou d'électrolipolyse, de mésothérapie, de drainage lymphatique, et d'un suivi en culture physique.

QUESTION :
Et au niveau des interventions comme la liposuccion par exemple ?

DR DEUTSCH :
Classiquement, lors de l'intervention, on prélevait à même la graisse profonde.
Aujourd'hui, la technique s'est améliorée, car on procède à une aspiration douce très superficielle en croisant avec des canules extrêmement fines possédant de très petits orifices.
Il se crée ainsi une fibrose améliorant l'impact cellulitique par attraction et remise en tension cutanée.
C'est en fait une technique de surface.

QUESTION :
Jusqu'à quel âge peut-on subir une lipo-aspiration ?

DR DEUTSCH :
Jusqu'à 45 ans.
En effet, par la suite, la rétraction de la peau et des tissus n'est plus aussi performante sauf cas particulier. Les patientes préfèrent très souvent perdre leur masse graisseuse et porter des vêtements bien ajustés, même au prix d'un certain relâchement des tissus et «quelques vagues».
Et, si on est en bonne santé, il n'y a donc en théorie pas de limite d'âge.

Poids et cellulite

Sachez avant tout que les femmes possèdent en moyenne entre 18 et 25 % de graisse (les hommes n'en ont qu'entre 10 et 15 %). Au-dessus de 25 % d'apport graisseux, on considère que l'individu est obèse.

Pour tester votre taux graisseux, il existe deux méthodes.
• La plus simple :
Pincez la peau et vérifiez que ce pli n'est pas trop important.
• La plus sophistiquée :
Il s'agit de l'impédancemétrie qui consiste à faire passer un courant électrique de faible intensité à travers les tissus.

Toutes les tables de poids ne donnent pas les mêmes données. Les premiers à s'intéresser aux problèmes de poids et à mettre au point des tableaux furent les compagnies d'assurances.

La fausse rumeur sur le poids : il faut absolument correspondre aux barèmes de poids de référence.
Pas toujours ! Par exemple, on peut peser lourd, et avoir peu de graisse comme les pratiquantes du lower-lifting - activité dérivée de l'haltérophilie - qui sont fines, musclées et lourdes !
Il y a également des personnes relativement légères qui n'ont pas un corps aux proportions agréables, ou un taux de graisse supérieur à la norme.

▲ Cessez donc de vous peser et observez-vous afin de mieux orienter votre stratégie.

▲ Ce qui compte, c'est de se sentir bien, d'être bien proportionnée, et surtout d'être en forme !

Les différentes formules pour le poids idéal

Comment se peser dans de bonnes conditions ?

Pesez-vous toujours à la même heure sur la même balance, avant de prendre un repas et sans vêtement. Rappelez-vous : l'essentiel consiste à être proportionnée harmonieusement, à se plaire, à plaire aux autres et à ne pas devenir une obsédée de la balance !

Poids idéal féminin d'après les normes classiques

Taille	Poids
1,50 cm	54 kg
1,52 cm	55 kg
1,55 cm	56,5 kg
1,57 cm	58 kg
1,60 cm	59,5 kg
1,62 cm	61 kg
1,65 cm	62 kg
1,67 cm	63 kg
1,70 cm	64 kg
1,72 cm	66 kg
1,75 cm	67 kg
1,78 cm	70 kg
1,80 cm	70,5 kg

Majorez votre poids de 3 à 6 kg si vous avez de gros os.

La formule de Lorentz

Poids idéal en kg (pour une femme) =
la taille en cm - 100 - (la taille cm-150 / 2)

Ainsi, si vous mesurez 1,63 m, votre poids idéal serait de 56,5 kg.

Le calcul de l'IMC (Indice de Masse Corporelle)

$$\text{IMC} = \text{le poids en kg} / (\text{taille en m})^2$$

Ainsi, si vous pesez 57 kg et que vous mesurez 1,64, votre IMC sera :

$$57 / (1,64 \times 1,64) = 21,26 \text{ kg/m}^2$$

Valeur approximative de l'IMC.

Si votre IMC est inférieur à 18,5 kg /m^2 : vous êtes en insuffisance graisseuse.
Si votre IMC varie entre 18,5 et 25 kg /m^2 : vous êtes dans la norme.
Si votre IMC est supérieur à 25 kg /m^2 : vous avez un surplus pondéral marqué.

Quelques exemples d'indications de dépenses caloriques

ACTIVITÉ	DÉPENSES CALORIQUES APPROXIMATIVES
Footing de 1500 m	140
Footing de 10 km	720
Une séance de 1 h de culture physique	350
Natation	26 calories par minute
Vélo	3 calories par minute
Une séance de 1 h de musculation	800 calories

Les produits médicamenteux pour perdre du poids

Les diurétiques sont-ils efficaces contre la cellulite ?

Ils font surtout uriner ! Certaines obèses ont recours aux diurétiques mais ils perdent de l'eau et non de la masse graisseuse ! Les médecins ne les prescrivent que dans des cas bien précis et à court terme.

Il faut savoir qu'ils provoquent une perte de sels minéraux et de potassium, ce qui peut engendrer des troubles du rythme cardiaque.

Ils peuvent également assécher l'organisme.

On peut aussi constater une reprise de poids dès l'arrêt de ces médicaments ; c'est comme pour les régimes : le corps privé d'eau la retient dès qu'elle est de nouveau présente.

Conclusion : ils sont inefficaces !

Les composés thyroïdiens ?

Ils ne devraient être prescrits qu'avec précaution à une infime partie des patientes, et dans des cas extrêmement précis.

En effet, ils peuvent se révéler dangereux (notamment au niveau cardiaque) et inefficaces.

Ils font d'ailleurs beaucoup diminuer la masse musculaire, et peu la graisse.

Donc : à éviter à tout prix !

Les coupe-faim peuvent-ils constituer une aide de départ pour perdre graisse et cellulite ?

Ils sont fortement déconseillés ! Ils engendrent une dépendance dangereuse. Il est vrai qu'ils retardent la sensation de faim, mais provoquent également une surexcitation. Il ne faut pas s'y tromper : ce sont des amphétamines !

Actuellement, il existe des produits moins dangereux que ceux des années 80 (comme l'amfrépramone), mais leurs conséquences négatives ne sont que diminuées. Ainsi, leurs effets ne sont pas toujours anodins !

Comme beaucoup d'autres méthodes, celle de la prise médicamenteuse n'est pas la solution idéale car les kilos perdus en raison de la diminution de l'appétit reviennent dès qu'on arrête le traitement.

A ne jamais essayer !

Le cocktail détonnant et très dangereux : le coupe-faim, le diurétique et le médicament thyroïdien !

Attention !

Quel que soit le coupe-faim que vous prenez (si vraiment vous êtes dans ce cas extrême...), faites-vous suivre par votre médecin durant toute la durée du traitement. N'allez pas le voir uniquement pour obtenir une ordonnance.

L'hygiène alimentaire

Il est difficile, lorsqu'on a une activité professionnelle, des soucis et une vie familiale bien remplie, de suivre des conseils diététiques et des menus précis sur une longue période, et ce de façon rigoureuse.

En fait, ce qui compte pour un résultat satisfaisant de diminution graisseuse ou cellulitique, c'est de respecter les principes d'une alimentation saine toute sa vie sans se sentir privée.

Pour arriver à ce résultat, il suffit de respecter quelques grands principes de base (comme équilibrer les proportions de glucides, lipides, protides entre eux) et souvent de ... diminuer les quantités.

Les notions globales qui suivent sont de grandes lignes directrices destinées à vous aider et à mieux comprendre ce qu'est l'apport nutritif, ceci pour que vous composiez vos menus sans trop de contrainte, ni de complication.

C'est tout simplement :
- Avoir une alimentation la plus variée possible, sans rien supprimer.
- Prendre ses repas à heures fixes et prendre le temps de mastiquer.
- Diminuer les aliments non indispensables tels les sucreries, les plats très gras, les apéritifs.
- Proportionner son apport alimentaire à ses dépenses.
- S'hydrater par petites quantités en cours de journée.

▲ L'hygiène alimentaire n'est pas un régime : c'est une alimentation équilibrée !

Les besoins du corps

**Il est évident que les personnes très occupées ne peuvent pas suivre des règles trop rigoureuses au niveau culinaire.
En effet, la femme moderne manque de temps et recherche avant tout la facilité, afin d'éviter un surcroît de fatigue.**

Combien de calories journalières sont nécessaires pour une femme d'activité moyenne ?

Environ 2000.

Est-il nécessaire de faire trois repas par jour pour mincir ?

**D'après les dernières recherches, il s'avère que ce qui compte essentiellement c'est la totalité de l'apport calorique journalier.
Peu importe qu'il soit pris en trois ou quatre repas : le résultat est le même.
Le fameux adage selon lequel il convient de prendre un solide petit déjeuner, un bon déjeuner et un dîner léger semble apparemment dépassé.**

Etre bien informée évite les principales erreurs et permet sans perte de temps d'accéder à un apport nutritionnel plus performant ; cela engendre :
• une diminution des masses graisseuses,
• une intensification de l'énergie.

L'ensemble de l'apport alimentaire journalier doit comporter :

• **55 % de glucides** (comprenant si possible 20 % de glucides à assimilation rapide, comme les aliments sucrés, et 35 % à assimilation lente comme les pâtes, le riz ...).
Ils équivalent à 4 calories par gramme.

• **35 % de lipides**
Ils équivalent à 9 calories par gramme.

• **15 % de protides**
Ils équivalent à 4 calories par gramme.

Ces aliments se transforment ensuite en nutriments, pour aller nourrir les cellules.

Les nutriments sont des substances nutritives, assimilables par l'organisme.

On distingue : les acides aminés, les acides gras, le glucose. Ils proviennent respectivement de la dégradation des protides, des lipides et des sucres.

Les glucides

Les glucides sont les principaux fournisseurs d'énergie (pour les muscles, le cerveau, le cœur, le diaphragme) en se transformant en glucose grâce à l'insuline.

Ils sont stockés dans le foie et les muscles.
On distingue :

Les sucres rapides

On les trouve dans les confiseries, les gâteaux, les desserts lactés...

Ils se présentent sous forme de glucose, de fructose, de galactose, de saccharose, de maltose, de lactose. Ils passent rapidement dans le sang.

Les sucres lents

Ils se trouvent dans les fruits, les céréales, les légumes secs...
Ce sont les aliments «miracles» des sportifs, car ils sont lents à se répandre dans l'organisme.
Les amidons se trouvent dans le pain, les légumes secs, les céréales...
Ils ont une transformation lente.

Si vous le pouvez, préférez les aliments à index glycémique bas (c'est un procédé de classification des sucres, mesurant le niveau de sucre dans le sang) ; la glycémie correspond au taux de glucose dans le sang.

Le taux normal est de 1 gramme par litre de sang.

Les aliments à faible index glycémique passent lentement dans le sang.
A titre d'exemples : le lait, les yogourts, les petits pois, les oranges ont un index faible.

A savoir
• Chaque sorte de sucre a son propre rythme de diffusion.
• L'organisme fabrique du glucose à partir des lipides.

La quantité de glucides nécessaire par jour est de 4 grammes par kilo.
Soit environ 240 g pour une femme de 60 kg.

La bonne nouvelle
Les glucides perdent 15 % lors de leur assimilation.

La mauvaise nouvelle
Les sucres rapides ouvrent l'appétit en créant une poussée d'insuline.

Les lipides

Il est néfaste pour la santé de s'abstenir d'apport lipidique pendant plus d'un mois.
En cas de carence, l'aspect trophique de la peau s'altère rapidement.

Est-ce que les plats gras stoppent plus facilement la sensation de faim que les autres plats ?

Ils procurent, certes, une sensation de satiété, mais moins longue, que les plats à base de glucides lents (pâte, riz) ou de protides (viandes).

La quantité de lipides nécessaire par jour est de 1 gramme par kilo.
Soit environ 60 g pour une femme de 60 kg.

La bonne nouvelle

Les lipides perdent 5 % lors de leur stockage. C'est peu mais c'est toujours cela !

La mauvaise nouvelle

Pour rendre plus tartinables certaines margarines, les fabricants ajoutent des huiles, dont les acides poly-insaturés transformés en acides gras ont la particularité d'élever le cholestérol sanguin.
Cela ne s'applique qu'à certaines marques.

Les lipides sont sources d'énergie et jouent un rôle dans l'activité organique et musculaire. Ils permettent de lutter contre le froid. Ils apportent les acides gras essentiels, contiennent les vitamines lipo-solubles : A, D, E et K, et aident à synthétiser quelques hormones.

Ils regroupent les triglycérides, le cholestérol, les phospholipides et les acides gras.

Ils se trouvent dans le beurre, les laitages, les fromages (dont il ne faut pas abuser), les charcuteries, la viande, sous forme de graisses saturées.

On les trouve sous l'aspect de graisses mono et poly-insaturées (celles-ci protègent les artères et diminuent le mauvais cholestérol), dans le poisson, les margarines et les dérivés du soja, le maïs.
Ces graisses sont recommandées pour la santé.

Il convient de bien surveiller son alimentation lipidique et de savoir, par exemple, que les fruits oléagineux, la charcuterie, le jaune d'œuf ou le gruyère comptent parmi les aliments les plus lipidiques.

L'apport calorique quotidien en graisse devrait être en moyenne de 135 calories.
C'est relativement peu et cela requiert une surveillance constante si on ne désire pas prendre trop de poids.
Si vous utilisez pour cuisiner de l'huile végétale comme l'huile de tournesol, de pépin de raisin... sachez que les acides gras poly-insaturés qu'elles contiennent sont recommandés si l'on a trop de mauvais cholestérol.
Mais un excès de consommation endigue également l'action du bon cholestérol.
Donc : jamais d'excès !

Les protides

Les protides ont un rôle de construction, de réparation de l'organisme, par exemple au niveau de la peau, des hormones, des enzymes, des organes...

On les trouve, pour les protéines animales, dans la viande, le poisson et les crustacés ; pour les protéines végétales, dans les œufs, le lait et dans les céréales, le soja, les légumes secs.

Ils sont souvent recommandés dans les régimes (à condition de ne pas faire d'excès).

Les nutritionnistes préfèrent conseiller le poisson, étant donné sa pauvreté en graisse, plutôt que la viande.
En revanche, si vous avez une carence en fer, consommez de la viande deux ou trois fois par semaine.

N'oubliez pas qu'elle contient également les huit acides aminés indispensables au corps.

Les aliment riches en protéines végétales ne présentent pas les mêmes avantages que ceux qui le sont en protéines animales.
Ils ne contiennent pas tous les acides aminés.
Il faut donc faire des associations d'aliments pour éviter les carences.
Il importe de bien s'y connaître.

Pour un meilleur équilibre, l'apport protidique peut se partager journellement ainsi :
• 40 % en protéines végétales,
• 60 % en protéines animales.
Un exemple concret pour un bon équilibre protéiné dans un repas : il convient d'avoir une entrée à base de céréales et de la viande avec des légumes secs.

Les protides ont la particularité de procurer une sensation de suffisance nutritionnelle ; ainsi, après avoir dégusté un bifteck avec des haricots blancs, on n'a plus faim ! Intéressant...

La bonne nouvelle

Les protides brûlent un quart de leur apport pour être assimilés et leur surnombre est éliminé.
En effet, les protides ne sont pas stockés. Nous perdons 50 grammes de protéines par jour dans les urines.

La mauvaise nouvelle

L'insuffisance protidique entraîne une perte et une atonie musculaire ainsi qu'un mauvais conditionnement des viscères.
Donc, attention aux régimes non personnalisés et anarchiques.

Attention

Ne consommez pas trop de compléments alimentaires sans contrôle médical ! Si vous vous entraînez régulièrement et que votre alimentation est déstructurée, préférez les aliments riches en vitamines et minéraux. Les produits industriels alimentaires à base de fer ou de calcium peuvent être bénéfiques si leur dose correspond réellement à un manque, et créent de petits dysfonctionnements en cas de surdosage !

Les vitamines

Indispensables

Elles jouent un rôle important dans beaucoup de réactions chimiques, où elles interviennent comme catalyseur.

On peut distinguer deux sortes de vitamines :
• **celles solubles dans l'eau : B et C,**
• **celles solubles dans l'huile : A , D, E et K.**

Elles sont indispensables à l'assimilation des nutriments (aliments dégradés) ainsi qu'à la croissance.
On les trouve dans les aliments crus, mais également dans les conserves, les produits surgelés.

Petite info

Le cynorrhodon - fruit de l'églantier - (450 mg de vitamine C pour 100 g) et la goyave (500 mg de vitamine C pour 100 g) sont les aliments qui contiennent le plus de vitamine C, avec le persil (200 mg de vitamine C pour 100 g).

Comment s'y retrouver dans les quantités ?

ER : Equivalent Rétinol
1 µg rétinol = 3,3 UI
1 mg = 1000 µg
UI : Unité Internationale

Les vitamines hydro-solubles

• La vitamine B_1 (Thiamine) :

Elle aide au métabolisme glucidique et transmet l'influx nerveux.
Elle a été utilisée contre le béribéri.
Elle est contenue dans les céréales complètes, le porc, les abats, les jaunes d'œufs, les choux, les asperges et les fruits secs.
Apport journalier conseillé : 1,5 mg.

• La vitamine B_2 (Riboflavine) :

Elle aide à l'utilisation des acides aminés et aussi des glucides, du fer et des protéines.
Elle intervient également dans l'assimilation des autres vitamines (B_1 - PP - A).
On la trouve dans les abats, les épinards, les brocolis, la levure, les œufs, le lait et ses dérivés.
Apport journalier conseillé : 1,8 mg.

• La vitamine B_3 (appelée également PP) (Niacine) :

Elle est anti-pellagreuse, et a une action dans l'activité des glucides et des acides aminés.
Elle est excellente pour la peau.
Elle est présente dans la levure, les céréales complètes, le thon, le porc, les volailles, le foie, le lapin, les fruits et légumes secs.
Apport journalier conseillé : 19 mg.

• La vitamine B_5 (Acide pantothénique) :

Elle produit de l'énergie à partir des glucides et des lipides. Elle synthétise également les acides gras.
Elle est présente dans les cacahuètes, les avocats, les champignons, la viande, les abats et les œufs.
Apport journalier conseillé : 7 mg.

• La vitamine B_6 :

Elle agit au niveau des cellules nerveuses et aide à l'intégration des acides aminés.
Elle se trouve dans le thon, les harengs, la viande, les abats, les pommes de terre, le maïs, le chou.
Apport journalier conseillé : 2 mg.

• **La vitamine B$_8$ (Biotine) :**
Elle intervient dans la synthèse du glucose et des acides gras et produit de l'énergie.
Elle fait partie des fruits et légumes secs, des laitages, œufs, abats, du blé et des flocons d'avoine.
Apport journalier conseillé : 100 µg.

• **La vitamine B$_9$ (Acide folique) :**
Elle est anti-anémique et permet aux globules rouges de se former.
Elle est présente dans les légumes verts et la plupart des légumes à feuilles foncées. La levure en contient aussi.
Apport journalier conseillé : 200 µg.

• **La vitamine B$_{12}$ (Cobolamine) :**
C'est celle qui aide à l'existence des cellules hépatiques et, comme la vitamine B$_9$, elle permet aux globules rouges de se former.
Cette vitamine est présente dans les produits laitiers, le foie, les abats, le bœuf.
Apport journalier conseillé : 2 µg.

• **La vitamine C (Acide ascorbique) :**
Elle est – on le sait – anti-scorbutique, aide à l'élaboration du collagène. Elle est indispensable à la synthèse des anti-corps et intervient au niveau du métabolisme, notamment celui du fer.
On la connaît surtout pour ses actions anti-fatigue et coup de fouet.
On la trouve dans les fruits rouges acides, les végétaux de couleur vive et les fruits exotiques.
Apport journalier conseillé : 60 mg.

Les vitamines lipo-solubles

• **La vitamine A (Rétinol) :**
C'est la vitamine de la croissance par excellence.
Elle a également une bonne influence sur la peau et les muqueuses. Elle est indispensable pour la vision.
Elle siège dans le lait et ses dérivés, le jaune d'œuf.
Apport journalier conseillé : 1000 ER.

La provitamine A se trouve dans les carottes, les potirons, les melons, les abricots, les pissenlits et les autres végétaux de couleur.

• **La vitamine D (Cholecalciférol) :**
Elle permet aux intestins d'absorber le calcium et a un rôle antirachitique.
Elle joue un rôle au niveau de la fixation du phosphore et du calcium sur les os.
Elle se trouve dans les mêmes aliments que la vitamine A.
Apport journalier conseillé : 400 UI.

• **La vitamine E (Tocophérol) :**
C'est l'anti-oxydante. Elle a une action bénéfique sur la vitamine A et les acides gras.
Elle se trouve dans les fruits oléagineux, les germes de blé, les huiles végétales.
Apport journalier conseillé : 10 UI.

• **La vitamine K :**
C'est elle qui intervient dans la coagulation du sang.
Elle est présente dans les céréales, les œufs, le foie, les épinards, la salade, le choux...
Apport journalier conseillé : 65 µg.

Les sels minéraux

Ils permettent l'utilisation des aliments fournisseurs d'énergie.

• Le calcium
Il aide à la coagulation du sang et à l'équilibre du système nerveux.
Il consolide dents et os et permet l'excitabilité neuro-musculaire. Il régule également le rythme cardiaque.
On le trouve dans certaines eaux de source et du robinet, les légumes verts et secs, les œufs, le lait, les fromages, les produits lactés.

• Le potassium
Il permet au cœur et aux muscles de se contracter.
Il intervient dans l'équilibre entre les milieux intra et extra-cellulaires.
Les cellules nerveuses en ont également un besoin spécifique.
Il est présent dans la viande, le poisson, les légumes frais et secs, les fruits frais et secs.

• Le sodium
A l'instar du potassium, il maintient l'équilibre entre les milieux intra et extra-cellulaires.
Il est actif dans l'excitabilité musculaire.
On le rencontre dans le sel comestible. Il est présent dans le pain, les fromages, les charcuteries et leurs dérivés, et dans toutes les préparations salées.

• Le phosphore
Il est indispensable à l'élaboration osseuse et dentaire.
Il aide à la production énergétique et intervient au niveau de la fonction nerveuse cellulaire.

Il est contenu dans le soja, le fromage, le jaune d'œuf, le lait, la viande, le poisson, les féculents, les fruits et légumes secs.

• Le magnésium
Il aide le cœur et les muscles à se contracter et les cellules nerveuses à bien fonctionner.
Il se trouve dans les bananes, les épinards, le chocolat, les fruits secs et oléagineux, le pain et les céréales complètes, les légumes secs.

• Le fluor
Il augmente la résistance des dents aux caries.
On le trouve dans les crustacés, les fruits de mer, le poisson et le thé.

• Le fer
Il aide à la fonction du métabolisme énergétique et est présent dans les globules rouges.
Il se trouve dans la plupart des légumes à feuilles vertes, les légumes et fruits secs, la viande, le poisson, les œufs, les abats, le cacao.

• Le zinc
Il intervient dans la structure de nombreux enzymes.
On le trouve entre autres dans les légumes secs.

• L'iode
Il joue un rôle essentiel dans la synthèse des hormones thyroïdiennes.
Il est présent dans les coquillages, les crustacés, le poisson, les mollusques.

Les fibres

Les fibres sont présentes sous diverses formes et régularisent le transit intestinal en rendant plus fluides les matières fécales. Elles donnent ainsi rapidement une impression de satiété.
Elles réduisent également la sécrétion d'insuline et constituent une prévention vis-à-vis des hémorroïdes.
Il est possible de vivre sans absorber de fibres, mais c'est risquer nombre de désagréments au niveau du transit intestinal.
Les fibres alimentaires ont, d'après certains diététiciens, la faculté de ralentir l'assimilation d'une partie des lipides et des glucides ; même si cela ne concerne qu'une petite quantité, cela constitue une facette intéressante.
Aussi, n'hésitez pas à en consommer.

Les différentes fibres sont :

• **La cellulose et l'hémicellulose**, qui se trouvent dans les enveloppes de céréales, les pommes de terre, le son, la peau des fruits, les légumes verts, les écorces céréalières.
L'hémicellulose est plutôt présente dans les jeunes légumes.
Les mucilages sont les composantes des algues, de certaines graines et gommes.

• **Les pectines**, qui sont contenues dans les fruits à pépins comme la pomme.

• **Les lignines,** qui se trouvent dans les légumes secs et les parties fermes et fibreuses de végétaux.

Quelques aliments riches en fibres alimentaires

Les flageolets secs, le soja, les pois cassés secs, les pois chiches secs, les figues, les pruneaux, les amandes, les farines complètes, le pain complet, les framboises, les groseilles, les épinards, les petits pois, le riz complet sec, le riz blanc sec, les artichauts.

On retrouve souvent les fibres solubles (les pectines, les gommes, les alginates, le psyllium, le son d'avoine) sous forme d'épaississant dans les aliments.

A savoir

Les fibres diététiques sont peu agressées par les sécrétions digestives.
Elles permettent de manger plus en consommant moins de calories, car elles gonflent relativement rapidement. Par exemple, le son de blé peut absorber quatre fois son volume d'eau.

Important

Si vous consommez beaucoup de fibres qui sont des glucides naturels, n'oubliez pas de vous hydrater correctement.
Consommez de préférence de la pectine et de l'hémicellulose qui stabilisent le taux de diabète sanguin.

Est-il vrai que le riz complet est moins calorique que le riz blanc ?

Oui ! A poids identique, il est moins calorique.

Info-calories

Aliments pour 100 g	Calories kcal	Protides	Lipides	Glucides
Beurre	765	0	85	0
Camembert, brie	300	22	24	0
Cantal	380	25	30	2
Crème fraîche	310	5	30	6
Fromage blanc	135	11	9	3
Fromage bleu	400	23	35	0
Gruyère	395	31	30	1
Huile végétale	900	0	100	0
Lait de vache entier	68	3	4	5
Lait standardisé	66	3,3	3,7	5
Lait concentré sucré	335	8	9	56
Lait écrémé	35	3	0	5
Lard gras	870	1	96	0
Margarine	765	0	85	0
Mayonnaise	720	2	79	0
Œuf (blanc)	40	10	0	0
Œuf entier	145	12	11	0
Petit-suisse	180	10	15	2
Demi-sel	185	15	14	2
Saindoux	890	0	99	0
Yaourt maigre	45	5	1	5
Yaourt lait entier	90	5	5	6
Bœuf (dégraissé)	160	29	5	0
Bœuf (rumsteck rôti)	250	28	15	0
Bœuf gras (bouilli)	290	24	23	0
Boudin supérieur	470	28	40	0
Cabillaud (filet poché)	90	21	1	0
Canard (avec peau)	320	19	29	0
Cervelle d'agneau	140	12	8	1
Cheval	110	21	2	1
Dinde	160	26	6	0
Foie de veau	150	20	7	2
Foie gras d'oie	420	12	40	5
Hareng grillé	200	20	13	0
Jambon de Paris	265	20	20	1
Jambon de Paris dégraissé	120	18	5	1
Lapin	180	27	8	0
Maquereau	190	20	12	0
Moules cuites	80	16	2	1
Mouton (maigre)	190	25	10	0
Mouton (côtelettes grillées)	370	23	30	0
Mouton (gigot rôti)	265	26	18	0
Porc (côte, filet)	330	28	24	0
Porc (maigre)	155	21	8	0
Poulet rôti (avec peau)	220	23	14	0
Poulet (blanc)	140	26	4	0
Rillettes	575	20	55	0
Sardines à l'huile (égouttées)	220	24	14	0
Saucisses type Francfort	280	10	25	3
Saucisson sec	450	30	36	1
Saucisson cuit	275	10	21	14
Sole	70	15	1	0
Veau (noix maigre)	230	32	11	0

Aliments pour 100 g	Calories kcal	Protides	Lipides	Glucides
Abricots frais	32	1	0	7
Amandes sèches	635	17	54	20
Ananas en sirop (conserve)	80	0	0	21
Artichauts cuits	48	2	0	10
Aubergines	24	1	0	5
Avocat	210	2	20	5
Bananes épluchées	92	1	0	22
Betterave	40	0	0	10
Carottes	36	1	0	8
Champignons de Paris crus	28	3	0	4
Chou vert cuit	16	1	0	3
Chou-fleur	12	2	0	1
Dattes sèches	270	2	0	65
Endives	12	1	0	2
Epinards cuits	28	5	0	2
Figues sèches	230	3	0	55
Fraises	28	1	0	6
Framboises	45	1	0	10
Haricots verts cuits	12	1	0	2
Haricots secs	330	20	1	60
Lentilles cuites cuisinées	90	5	3	11
Marrons grillés	230	4	2	50
Melon	28	1	0	6
Noix sèches	525	10	52	5
Oranges	40	1	0	9
Pêches	45	1	0	10
Poires	60	1	0	12
Petits pois	80	5	0	15
Pomme entière	40	0	0	10
Pommes de terre bouillies	85	1	0	20
Pommes de terre sautées	175	3	6	27
Pommes-chips	515	4	35	45
Prunes	45	1	0	11
Pruneaux	250	2	0	60
Radis	15	1	0	3
Raisin	70	1	0	16
Raisins secs	280	2	0	68
Salade verte	10	0	0	3
Tomates crues	20	1	0	4
Biscottes	400	11	6	75
Biscuits secs	435	6	10	80
Chocolat au lait	540	8	30	60
Dessert lacté ou chocolat	145	4	3	25
Confiture	280	0	0	70
Crème glacée	190	3	9	25
Miel	300	0	0	75
Pain courant	240	7	1	50
Pain au son	195	8	2	36
Pâtes (macaronis cuits)	120	4	0	26
Pâtisseries	480	6	28	48
Riz sec	350	8	1	77
Riz cuit	130	2	0	30
Sucre	400	0	0	100

Les massages

Élément complémentaire à la lutte anti-cellulite, le massage constitue une aide d'appoint appréciable, autant au point de vue physique que psychologique.

Chaque type de massage répond à une demande précise.

Il ne s'agit pas de procéder de façon instinctive et désordonnée.

Aussi, avant d'indiquer une des techniques d'auto-massage bénéfique pour lutter contre la cellulite, il importe de connaître les bases du massage.

Les massages datent de l'Antiquité. Certains préparent efficacement à l'effort, d'autres procurent un sentiment de relaxation.

Au hammam, ils sont plutôt toniques car ils sont composés de frictions, de pétrissages ou de percussion. Cette tradition de massages liés aux étuves date du Moyen Age.

Vers de XVIII siècle, la population délaisse les soins corporels traditionnels au profit des frictions.

Par la suite, ce n'est qu'au XIX siècle, avec l'apparition de la gymnastique suédoise, que reviennent les diverses techniques de massages traditionnels modifiées ou mécanisées.

▲ Actuellement, les massages novateurs sont nombreux et permettent un choix adapté à chacun !

Les différents types de massages

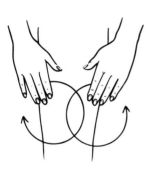

TECHNIQUE D'EFFLEURAGE
Les mains dessinent de grands cercles sur la peau avec légèreté

Les effleurages

Ils consistent en des manœuvres douces pour commencer, et finissent en un massage spécifique. Ils servent souvent à appliquer l'huile ou le produit sur le corps.

Ils ne travaillent absolument pas les muscles en profondeur et n'ont le plus souvent qu'une vocation de préparation à d'autres techniques ou de détente.

Exemple de manœuvres d'effleurage :

Effleurer la peau en grands mouvements circulaires du bout des doigts en conservant bras et mains souples.

Si vous travaillez des deux mains : les cercles se chevauchent de façon continue.

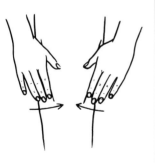

LE PALPÉ-ROULÉ
La peau est roulée entre les mains poussant en opposition.

Les pétrissages

Il s'agit d'appliquer des pressions relativement profondes sur les grandes masses musculaires.

Dans ce type de massage, ce sont plutôt les doigts qui travaillent sur un rythme continu pour détendre les muscles, drainer les déchets, et aussi stimuler les circulations veineuse et lymphatique.

Les pétrissages consistent à décoller les masses denses, puis à les repousser en un mouvement de torsion d'assez grande ampleur.
Cela étire et détend tous les tissus à la fois.

Dans la technique dite du «palpé-roulé», les mains se déplacent l'une vers l'autre en étant éloignées au départ ; la peau se trouve ainsi décollée puis roulée entre les mains.

Les techniques de pression appuyée

Ces manœuvres à vocation de pression localisée utilisent le talon des mains (partie en dessous de la paume) et le dessous des doigts dans une action perpendiculaire aux zones à traiter.

En général, on applique des pressions à stimulation croissante (ne jamais exercer une pression douloureuse).
Il est également possible d'utiliser le talon de la main ou les doigts.

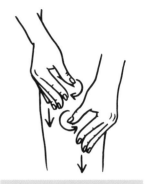

TECHNIQUE DU ROULEMENT DU POUCE
Les pouces perpendiculaires au membre avancent progressivement en restant bien en contact avec la peau à l'aide de petits cercles. Les pouces sont placés l'un en dessous de l'autre.

Méthode de percussion

Elle a bien sûr un effet stimulant et consiste en des mouvements rapides, alternés, des deux mains.

On peut distinguer : le claquement, le martèlement, la hachure et le pincement.

Le massage de percussion dynamise les masses musculaires des fessiers et des cuisses, améliore la circulation sanguine et réoxygène la peau.

C'est une technique à employer à bon escient, sans geste violent ni discontinu sur les masses musculaires.

Si vous désirez pratiquer sur vous ou votre partenaire ce type de massage, demandez une démonstration à votre masseur-kinésithérapeute.

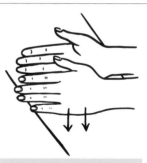

TECHNIQUE DE LA HACHURE (appelée aussi percussion)
Il faut faire rebondir le bord cubital (externe) avec les mains en alternance sur les parties charnues et veiller à garder un rythme de travail constant.
ATTENTION : ce n'est pas de tout repos !

Votre auto-massage quotidien

En 4 minutes maximum !

A quel moment est-il profitable d'effectuer cet auto-massage ?

En général, après la douche et, bien sûr, après le gommage hebdomadaire qui rend la peau plus réceptive.
En fait, il n'y a pas de moment vraiment impératif : c'est quand vous pouvez...
Pour les personnes pressées : il est également possible d'appliquer les techniques d'auto-massage sous la douche tout simplement.

Avez-vous lu les pages précédentes ?
Oui ! Vous voici donc un peu familiarisée avec les techniques d'approche pour stimuler et drainer les tissus.

Le point essentiel

Aucun massage d'une personne néophyte n'aura l'efficacité de celui d'un professionnel chevronné ; cependant, la répétition d'une action massante appliquée entraîne, au fil des semaines, une amélioration de l'aspect esthétique de la peau ainsi qu'un meilleur échange cellulaire engendrant une diminution des problèmes cellulitiques.

Cet auto-massage peut, bien entendu, n'être qu'un petit plus à une somme d'actions plus sérieuses (sport + diététique) mais il n'est pas pour cela négligeable, même si les bénéfices sont plus longs à être perçus.

Il faut mettre toutes les chances de son côté !

Comment procéder ?

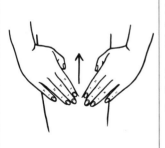

1. Mettez un peu d'huile ou de lait pour le corps au creux de votre main pour l'amener à la température du corps, puis étalez-la sur les zones à masser.

2. Procédez à un auto-drainage en entourant, par exemple, une partie des cuisses entre les mains. Remontez doucement en exerçant des pressions successives.

3. Pratiquez la méthode du palpé-roulé sur les zones spécifiques de cette façon : pincez la peau entre le pouce et les autres doigts, maintenez-la un court instant et faites-la rouler devant vous.

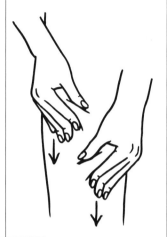

C'est tout !

Il est bien évident que si vous disposez de plus de temps pour vous masser, **n'hésitez pas à en faire jusqu'à l'overdose.**

Les médecins antiques pratiquaient les techniques de massage pour guérir et soulager.

Vous ne risquez rien à essayer ! C'est facile.

Petits conseils

• **N'hésitez pas à vous asseoir afin de mieux appliquer le bon geste.**

• **Ne vous massez pas dans une pièce à la température trop fraîche (ayez chaud aux pieds).**

• **Ayez des gestes réguliers et sûrs.**

• **Pensez à décontracter vos muscles durant le massage.**

• **Respirez lentement.**

Un lait corporel ordinaire suffit-il ou vaut-il mieux utiliser un produit spécifique désinfiltrant ?

Si vos moyens financiers vous permettent d'utiliser tous les jours un produit de soin anti-cellulitique, n'hésitez pas !
Sinon, une huile traditionnelle anti-tache pour le corps ou un lait nourrissant vendu en supermarché peuvent très bien faire l'affaire.

Première semaine

Votre programme de préparation

En 15 minutes par jour maximum à l'aide d'exercices simples.
Trois niveaux de base sont indiqués : choisissez le vôtre !
Si le plus faible est trop difficile pour vous : divisez par deux le nombre d'exercices. Augmentez les temps de récupération.
Si le plus fort est insuffisant : augmentez à votre gré le nombre d'exercices et diminuez les temps de récupération.

C e programme a pour but de vous familiariser en douceur avec cette bonne habitude qu'est la pratique de l'exercice physique au quotidien et, ainsi, de mieux vous préparer à une activité physique plus sérieuse et donc plus efficace.

Il importe de commencer avec modération et de progresser au fil des semaines ; aussi, le nombre d'exercices conseillés est, en règle générale, à la portée de la plupart des femmes de 18 à 60 ans.

Chacune bien sûr, à partir de la trame d'exercices proposés dans ce guide, personnalisera son entraînement.

N'oubliez pas que le corps puise dans les graisses au bout d'une demi-heure de travail et que cette méthode a pour but de vous amener à cela, soit en vous donnant l'envie de prolonger la durée de la pratique des techniques indiquées dans ce guide, soit en vous incitant à pratiquer un sport d'endurance comme la course à pied, le vélo, le low-impact, etc.

▲ Le maximum de détails vous est présenté afin d'éviter les principales erreurs de position du corps.

▲ De petits encadrés vous informent sur les dernières découvertes.

▲ Une chose est certaine : les calories dépensées en pratiquant les exercices conseillés ci-après le sont vraiment !

Vos questions

Peut-on pratiquer durant plusieurs semaines d'affilée cette semaine de préparation, si on ne se sent pas capable de passer directement à la semaine d'exercices anti-cellulite ?

Oui ! Vous pouvez, par exemple, faire cette semaine de préparation en niveau sédentaire pendant deux semaines, puis passer au niveau supérieur pendant trois semaines, puis finir par le niveau plus élevé pendant deux semaines.

Peut-on alterner la semaine de préparation avec la semaine d'exercices anti-cellulite ?

Oui, il n'y a pas de contre-indication, suivez seulement l'ordre chronologique du début. Alternez ensuite les semaines en augmentant la durée des exercices et en diminuant les temps de récupération. Pour obtenir un résultat : n'hésitez pas à travailler plus !

Comment doit-on s'habiller pour s'entraîner ?

Préférez des vêtements en coton, non serrés, portez des chaussettes, et surtout des chaussures de sport aux semelles amortissantes, de qualité.

Peut-on quand même faire ces exercices si l'on n'a jamais fait de sport ?

Oui ! Seulement, si le nombre d'exercices indiqués pour le niveau conseillé aux personnes sédentaires vous semble trop difficile, diminuez par moitié le nombre d'exercices, doublez les temps de récupération et faites le programme de cette semaine de préparation à votre niveau le temps qu'il faut (même si cela dure trois mois ...) avant de vous sentir prête à attaquer la seconde semaine. Et surtout : travaillez en douceur au tout début !

Y a-t-il un inconvénient à faire cette semaine de préparation en niveau sédentaire, puis à la refaire en seconde semaine en niveau plus élevé, puis en troisième semaine en niveau confirmé, avant de passer à la semaine d'exercices spécifiques anti-cellulite ?

Non ! Dans ce cas précis, la progression est logique, et peut être une approche plus douce à la semaine d'entraînement spécifique.

Quelles sont les contre-indications à la pratique de cette méthode ?

Elles sont identiques aux contre-indications classiques à toute pratique sportive, quelle qu'elle soit, à savoir entre autres :
- une obésité marquée,
- des problèmes cardiaques,
- de graves traumatismes vertébraux,
- une grossesse...
Seul votre médecin est habilité à donner sur votre cas un avis autorisé.
Cette méthode est conseillée aux femmes en bonne santé, n'ayant pas de problèmes majeurs.

Combien de temps faut-il pour obtenir un résultat fiable ?

En pratiquant, pour bien démarrer, la semaine de préparation et ensuite en répétant la semaine spécifique toute l'année avec une séance de jogging de 40 minutes (ou de petites séries de saut à la corde ou de vélo etc.), par exemple le week-end.
Deux à trois mois semblent raisonnables pour constater une amélioration qui dure.
Il est bien évident que le résultat varie d'une personne à une autre, et que cela dépend essentiellement de l'assiduité et de l'application que l'on met à réaliser les séances.

Le fait de pratiquer cette activité ne risque-t-il pas d'ouvrir l'appétit ?

Absolument pas ! Au contraire, vous risquez de constater une absence totale d'appétit dans les deux ou trois heures qui suivent votre séance.
Vous aurez faim ensuite comme à votre habitude.

Votre séance du lundi en 15 minutes

> **Voir détails dans les pages suivantes (description, rythme, niveau, conseils...).**

Exercice 1

Pour tonifier et muscler vos fessiers.
Elévation de la jambe fléchie sur le côté.
Faites au minimum : 3 séries de 12 élévations de chaque jambe.

Exercice 2

Pour tonifier vos muscles abdominaux et aider à l'élimination de la couche graisseuse de votre ventre.
Petits battements des jambes tendues.
Faites au minimum : 3 séries de 20 battements.

Exercice 3

Pour tonifier et aider l'élimination de la couche graisseuse de vos fessiers.
Elévation de la jambe arrière.
Faites au minimum : 3 séries de 12 élévations de chaque jambe.

> **Si vous n'avez jamais fait de sport :**
> - Ne forcez pas !
> - Pensez à votre respiration.
> - Faites ce que vous pouvez : la progression viendra peu à peu.
> - Respectez les temps de repos entre les séries.
> - Reposez-vous 30 secondes entre les exercices.

Exercice 4

Pour éliminer vraiment, choisissez votre exercice.
La corde à sauter.
Faites au minimum : 1 minute, avec 1 minute de repos.
Les montées de genoux.
Faites au minimum : 30 secondes avec 1 minute de récupération. A répéter 4 fois.
Les croisés et décroisés.
Faites au minimum : 30 secondes avec 1 minute de récupération. A répéter 4 fois.

Exercice 1
Elévation de la jambe supérieure fléchie

Dos droit — Pieds en flexion

Tête en repos sur le bras — Jambes fléchies à 90°

Comment le faire ?

Allongée sur le côté.
Elevez la jambe fléchie sur le côté.

Comment respirer ?

Expirez par la bouche à chaque élévation de jambe.

Combien de fois faut-il répéter ce mouvement ?

• **Vous êtes sédentaire :**
Faites 3 séries* de 12 mouvements d'une jambe à votre rythme.
Changez de jambe.
Reposez-vous 30 secondes entre chaque série.

• **Vous faites une activité physique occasionnellement :**
Faites 3 séries de 20 mouvements d'une jambe à votre rythme.
Changez de jambe.
Reposez-vous 30 secondes entre chaque série.

• **Vous vous entraînez régulièrement en salle de remise en forme ou vous pratiquez un sport :**
Faites 4 séries de 25 répétitions de chaque jambe sur un rythme assez soutenu.
Diminuez les temps de récupération entre les séries.

Optez pour les bonnes habitudes dès votre première séance
• **Portez des vêtements larges.**
• **N'ayez pas froid (portez des chaussettes).**
• **Ne vous alimentez pas 10 minutes avant : vous risquez d'avoir des nausées.**
• **Hydratez-vous par petites quantités.**

* Séries : terme employé en musculation et culture physique pour désigner un regroupement d'exercices identiques.

Le détail important

N'abandonnez pas dès que vous ressentez une légère douleur musculaire fessière : c'est normal ! Courage !

Quelques bienfaits du sport sur la santé

- **La réduction du risque coronarien, et donc d'infarctus.**
- **L'élévation de la fraction HOL Cholestérol (le bon).**
- **La diminution des triglycérides (graisses du sang en rapport avec l'abus de sucreries ou de boissons alcoolisées).**
- **L'amélioration de la fluidité sanguine.**
- **Le ralentissement de la fréquence cardiaque de base.**
- **L'augmentation du débit cardiaque, d'où une meilleure oxygénation du corps.**
- **L'envie de cesser de fumer.**
- **La modification de la silhouette.**
- **La diminution de la tension artérielle.**
- **La réduction du taux de diabète.**

Votre séance détaillée du lundi

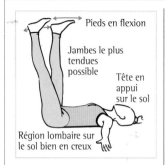

Pieds en flexion

Jambes le plus tendues possible

Tête en appui sur le sol

Région lombaire sur le sol bien en creux

Le détail important

Ne fléchissez pas vos jambes : plus vous les fléchirez, moins l'exercice sera performant au niveau abdominal.

D'où proviennent les troubles de l'assimilation ?

Ils peuvent être dus dans le cas, par exemple, de ballonnement, d'aérophagie, de paresse digestive, de brûlures gastriques à une insuffisance au niveau des enzymes digestives.
Ils peuvent également avoir pour origine certains types d'allergie ou tout simplement d'intolérance alimentaire.

Exercice 2
Petits battements des jambes

Comment le faire ?

A partir de la position allongée sur le dos.
Faites des petits battements des jambes tendues.

Comment respirer ?

Expirez par la bouche un battement sur deux.

Combien de fois faut-il répéter ce mouvement ?

• Vous êtes sédentaire :
Faites 3 séries de 20 battements à votre rythme.
Reposez-vous 30 secondes entre chaque série.

• Vous faites une activité physique occasionnellement :
Faites 4 séries de 20 battements à votre rythme.
Reposez-vous 30 secondes entre chaque série.

• Vous vous entraînez régulièrement en salle de remise en forme ou vous pratiquez un sport :
Faites 2 fois 60 battements sans vous arrêter.
Reposez-vous 30 secondes entre ces deux séries.

Le saviez-vous ?

Les contractions musculaires lors d'une activité physique peuvent faire augmenter de 20 % les dépenses énergétiques.

N'hésitez donc pas à :
- monter les escaliers (sans charges telles que valises, paniers à provisions etc.),
- marcher rapidement,
- faire vos trajets à vélo !
- serrer les muscles des fessiers et du ventre devant l'ordinateur.

Exercice 3
Elévation de la jambe tendue à l'arrière

Pied en flexion
Jambe tendue
Angle droit
Angle droit

Comment le faire ?
A partir de la position quadrupédique (à quatre pattes).
Elevez la jambe tendue à l'arrière.

Comment respirer ?
Expirez par la bouche à chaque élévation de la jambe.

Combien de fois faut-il répéter ce mouvement ?
• **Vous êtes sédentaire :**
Faites 3 séries de 12 battements d'une jambe à votre rythme.
Reposez-vous 30 secondes entre chaque série.

• **Vous faites une activité physique occasionnellement :**
Faites 3 séries de 20 battements d'une jambe à votre rythme.
Reposez-vous 30 secondes entre chaque série.

• **Vous vous entraînez régulièrement en salle de remise en forme ou vous pratiquez un sport :**
Faites 3 séries de 30 battements d'une jambe à votre rythme.
Changez de jambe.
Diminuez le temps de récupération entre les séries.

Le détail important
Travaillez sans élan et veillez à bouger le moins possible le reste du corps.

Aliments allergènes et cellulite
Les aliments allergènes sont des aliments risquant de provoquer une réaction de type allergique.
C'est le cas des noix, de l'huile d'arachide mais aussi de certaines conserves, des crustacés, du chocolat, des fruits exotiques, des poissons fumés etc.
Ils peuvent jouer un rôle dans l'apparition de zones cellulitiques situées sur le ventre.

Pourquoi doit-on chercher à travailler sur un rythme relativement soutenu ?
La vitesse dans ce cadre précis dynamise les réflexes musculaires (en activant les fibres musculaires) et a pour but de vous entraîner à travailler relativement vite et longtemps, afin de dépenser le maximum de calories.

Il n'est pas question bien entendu d'aller trop vite et de mal se positionner : il faut seulement s'exercer progressivement et augmenter son rythme au fur et à mesure.

Votre séance détaillée du lundi

Pour éliminer : choisissez entre ces trois exercices.

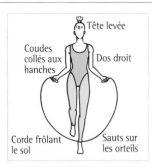

Le détail important

Pratiquez ce dernier exercice sur votre musique préférée afin de vous donner de l'allant !

Exercice 4

Comment le faire ?

A. Afin de bien sauter à la corde :
- Vérifiez qu'elle n'est pas trop longue (les poignées doivent être au niveau de la taille, lorsque les coudes sont collés au corps et que la corde frôle le sol).
- Sautez légèrement d'un pied sur l'autre, sans jamais poser le talon.
- Gardez un rythme de sauts régulier.
- Conservez le dos droit en permanence.

B. Afin de bien monter les genoux :
- Concentrez-vous.
- Balancez les bras fléchis pour vous aider si vous ne l'avez jamais fait.
- Conservez le dos droit et la tête levée.
- Montez vos genoux toujours à la même hauteur.

C. Afin de bien croiser et décroiser les jambes :
- Gardez le dos bien droit
- Mettez vos mains sur les hanches.
- Conservez toujours les jambes un peu fléchies.

Qu'appelle-t-on obésité psychosomatique ?

C'est un surplus pondéral qui apparaît souvent à la suite de stress, de contrariété ou de chocs psychologiques.

La boulimie peut en être responsable mais la prise médicamenteuse inconsidérée aussi (hormones, tranquillisants ...).

Ce problème, souvent lié à un état d'anxiété, entraîne une attitude déséquilibrée envers les aliments, l'hygiène de vie, et génère ainsi, ou accentue, le phénomène cellulitique.

Comment respirer ?

Veillez à avoir une respiration régulière :
- Inspirez par le nez.
- Expirez par la bouche.

Combien de fois faut-il faire ce mouvement ?

Faites votre choix :

L'exercice A - Le saut à la corde

• **Si vous êtes sédentaire :**
- Pratiquez 1 minute, reposez-vous 1 minute.
• **Si vous faites une activité physique occasionnelle :**
- Pratiquez 1 minute. Reposez-vous 1 minute.
- Pratiquez 1,30 minute. Reposez-vous 1 minute.
- Pratiquez 2 minutes. Reposez-vous.
• **Si vous vous entraînez régulièrement en salle de remise en forme ou si vous pratiquez un sport :**
- Pratiquez 1 minute. Reposez-vous 1 minute.
- Pratiquez 1,30 minute. Reposez-vous 1 minute.
- Pratiquez 2 minutes. Reposez-vous 1minute.
- Pratiquez 3 minutes. Reposez-vous.

OU
L'exercice B - Les montées de genoux

• **Si vous êtes sédentaire :**
- Pratiquez 30 secondes. Reposez-vous 1 minute.
- Recommencez 4 fois.
• **Si vous faites une activité physique occasionnelle :**
- Pratiquez 1 minute. Reposez-vous 1 minute.
- Recommencez 4 fois.
• **Si vous vous entraînez régulièrement en salle de remise en forme ou si vous pratiquez un sport :**
- Pratiquez 1 minute. Reposez-vous 1 minute.
- Pratiquez 2 minutes. Reposez-vous 1 minute.
- Recommencez ensuite 2 fois cette dernière phase.

OU
L'exercice C - Croisés et décroisés de jambe

Faites la même chose que pour l'exercice B.

Comment prendre son pouls après l'effort ?

Palpez votre poignet ou votre carotide et comptez le nombre de pulsations par minute.

Important

Ne forcez pas sur les premières minutes d'effort.
Soyez à l'écoute de votre corps : vous ne devez pas vous asphyxier !

La fréquence cardiaque maximale est égale à 220 pulsations moins l'âge

Elle est en général voisine de 75 pulsations au repos. Dans le cadre d'une activité modérée, elle met 2 à 3 minutes pour revenir à son rythme normal.

Qu'est-ce que le débit cardiaque ?

C'est le volume de sang qui sort d'un ventricule par unité de temps. Il est de 5 litres par minute, mais il peut atteindre 25 litres par minute lors d'efforts intenses.

Votre séance du mardi en 15 minutes

Voir détails dans les pages suivantes (description, rythme, niveau, conseils...).

Exercice 1

Pour tonifier vos abdominaux et éliminer la couche graisseuse au niveau du ventre.
Ramener les jambes serrées vers soi.
Faites au minimum : 3 séries de 12 rapprochés de jambes.

Exercice 2

Pour tonifier et muscler vos fessiers.
Flexion et extension d'une jambe vers l'arrière.
Faites au minimum : 3 séries de 20 flexions-extensions.

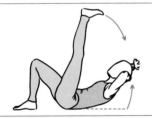

Exercice 3

Pour tonifier vos abdominaux et éliminer la couche graisseuse au niveau du ventre.
Ramenés simultanés d'une jambe et du buste.
Faites au minimum : 3 séries de 10 rapprochés jambes-buste.

Reposez-vous une trentaine de secondes entre chaque exercice.

Exercice 4

Pour éliminer vraiment, choisissez votre exercice.
La corde à sauter.
Faites au minimum : 1 minute, avec 1 minute de repos.
A répéter 4 fois.
Les montées de genoux.
Faites au minimum : 30 secondes avec 1 minute de récupération. A répéter 4 fois.
Les croisés et décroisés.
Faites au minimum : 30 secondes avec 1 minute de récupération. A répéter 4 fois.

Exercice 1
Elévation de la jambe supérieure fléchie

Pieds en flexion

Jambes tendues au maximum

Dos en appui sur le sol

Bras en croix

Comment le faire ?

En position allongée sur le dos.
Ramenez vers vous les jambes à la verticale.

Comment respirer ?

Expirez par la bouche en ramenant les jambes.

Combien de fois faut-il répéter ce mouvement ?

• Vous êtes sédentaire :
Faites 3 séries de 12 rapprochés de jambes à votre rythme.
Reposez-vous une trentaine de secondes entre les séries.

• Vous faites une activité physique occasionnellement :
Faites 3 séries de 20 rapprochés de jambes à votre rythme.
Reposez-vous une trentaine de secondes entre les séries.

• Vous vous entraînez régulièrement en salle de remise en forme ou vous pratiquez un sport :
Faites 4 séries de 25 rapprochés de jambes sur un rythme dynamique.
Diminuez les temps de récupération entre les séries.

Le détail important

Ne ramenez pas trop vos jambes vers l'arrière, afin d'éviter toute cambrure lombaire.

La ménopause provoque-t-elle systématiquement la venue de la cellulite ?

Oui, sauf quelques exceptions.
Le plus souvent, la ménopause engendre un déséquilibre hormonal qui influe sur le système veino-lymphatique et crée un flux sanguin plus lent. Les conséquences en sont l'installation ou le renforcement cellulitique.

Naît-on avec un nombre génétiquement programmé d'adipocytes (cellules graisseuses) ?

D'après les dernières études scientifiques : oui !

La cellulite se transmet aussi bien d'une génération à l'autre que d'une génération sur deux.

Votre séance détaillée du mardi

Dos plat

Pied en flexion

Jambe en flexion puis en extension

Le détail important

Ne montez pas trop votre jambe afin d'éviter tout inconfort lombaire.

Qu'est-ce que l'hypothyroïdie ?

C'est un ralentissement du fonctionnement de la glande thyroïde, pouvant engendrer une prise de poids. Cet état se confirme par des examens médicaux.
L'hypothyroïdie est relativement rare ; aussi, les personnes obèses touchées par ce problème sont peu nombreuses.

Exercice 2

Flexion et extension d'une jambe vers l'arrière

Comment le faire ?

En position quadrupédique (à quatre pattes).
Fléchissez et tendez une jambe vers l'arrière.

Comment respirer ?

Expirez par la bouche lors de l'extension de la jambe.

Combien de fois faut-il répéter ce mouvement ?

• **Vous êtes sédentaire :**
Faites 2 séries de 12 flexions-extensions d'une jambe, puis de l'autre.
Reposez-vous une trentaine de secondes entre les séries.

• **Vous faites une activité physique occasionnellement :**
Faites 3 séries de 25 flexions-extensions d'une jambe puis de l'autre.
Reposez-vous une trentaine de secondes entre les séries.

• **Vous vous entraînez régulièrement en salle de remise en forme ou vous pratiquez un sport :**
Faites 4 séries de 25 flexions-extensions d'une jambe, puis de l'autre, sur un rythme dynamique.
Diminuez le temps de récupération entre les séries.

Certaines pilules contraceptives peuvent-elles donner de la cellulite ?

Oui, mais c'était surtout le cas il y a quelques années.

Actuellement, les produits sont très bien dosés et les désagréments se font plus rares !

Exercice 3
Ramenés simultanés d'une jambe et du buste

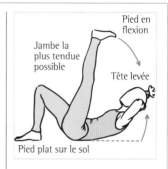

Pied en flexion

Jambe la plus tendue possible

Tête levée

Pied plat sur le sol

Comment le faire ?

Allongée sur le dos.
Ramenez la jambe et le buste simultanément.

Comment respirer ?

Expirez par la bouche à chaque ramené du corps.

Combien de fois faut-il répéter ce mouvement ?

• **Vous êtes sédentaire :**
Faites 3 séries de 10 rapprochés jambe-buste à votre rythme.
Reposez-vous une trentaine de secondes entre les séries.

• **Vous faites une activité physique occasionnellement :**
Faites 3 séries de 15 rapprochés jambe-buste à votre rythme.
Reposez-vous une trentaine de secondes entre chaque série.
Changez ensuite de jambe.

• **Vous vous entraînez régulièrement en salle de remise en forme ou vous pratiquez un sport :**
Faites 4 séries de 15 rapprochés jambe-buste à votre rythme.
Changez de jambe.
Diminuez le temps de récupération entre les séries.

Quels sont les avantages d'une activité physique sur les personnes qui ont dépassé la cinquantaine ?

En général, elle fait légèrement baisser la pression artérielle, tonifie la masse musculaire, assouplit les articulations, régule le sommeil, et améliore le système cardiopulmonaire.

Est-il vrai que la grossesse favorise l'apparition de la cellulite ou la renforce si elle existe déjà?

Pas systématiquement, mais cela peut arriver.

La sécrétion de progestérone et d'œstrogènes peut provoquer un désordre vasculaire.

Votre séance détaillée du mardi

Pour éliminer : choisissez entre ces trois exercices.

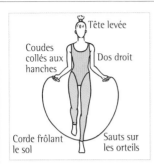

Tête levée

Coudes collés aux hanches

Dos droit

Corde frôlant le sol

Sauts sur les orteils

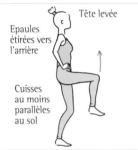

Tête levée

Epaules étirées vers l'arrière

Cuisses au moins parallèles au sol

Tête levée

Appui sur les orteils

Le détail important

Conservez la tête levée, afin de ne pas avoir tendance à courber le torse.

Exercice 4

Comment le faire ?

A. Afin de bien sauter à la corde :
- Vérifiez qu'elle n'est pas trop longue (les poignées doivent être au niveau de la taille, lorsque les coudes sont collés au corps et que la corde frôle le sol).
- Sautez légèrement d'un pied sur l'autre, sans jamais poser le talon.
- Gardez un rythme de sauts régulier.
- Conservez le dos droit en permanence.

B. Afin de bien monter le genoux
- Concentrez-vous.
- Balancez les bras fléchis pour vous aider si vous ne l'avez jamais fait.
- Conservez le dos droit et la tête levée.
- Montez vos genoux toujours à la même hauteur.

C. Afin de bien croiser et décroiser les jambes
- Gardez le dos bien droit
- Mettez vos mains sur les hanches.
- Conservez toujours les jambes un peu fléchies.

Petit test pour surveiller vos kilos

En effet, il importe de ne pas laisser trop de kilos envahir le bas de votre corps, afin d'éviter qu'ils ne nuisent à votre santé. Pour le vérifier, faites ce petit test très simple.

1. Mesurez votre tour de taille = A.

2. Mesurez votre tour de hanches = B.

3. Divisez A par B.

4. Si vous obtenez un résultat R compris entre 0,64 et 0,85, vous êtes une femme dans la norme.

Exemple : $\dfrac{A = 65}{B = 90}$ ⟶ R = 0,72

Votre séance détaillée du mardi

Comment respirer ?

Veillez à avoir une respiration régulière :
- Inspirez par le nez.
- Expirez par la bouche.

Combien de fois faut-il faire ce mouvement ?

Faites votre choix :

L'exercice A - Le saut à la corde

• **Si vous êtes sédentaire :**
- Pratiquez 1 minute, reposez-vous 1 minute.
- Faites-le 4 fois.
• **Si vous faites une activité physique occasionnelle :**
- Pratiquez 1 minute. Reposez-vous 1 minute.
- Pratiquez 1 minute. Reposez-vous 1 minute.
- Pratiquez 2 minutes. Reposez-vous.
• **Si vous vous entraînez régulièrement en salle de remise en forme ou si vous pratiquez un sport :**
- Pratiquez 1 minute. Reposez-vous 1 minute.
- Pratiquez 1,30 minute. Reposez-vous 1 minute.
- Pratiquez 2 minutes. Reposez-vous 1minute.
- Pratiquez 3 minutes. Reposez-vous.

OU

L'exercice B - Les montées de genoux

• **Si vous êtes sédentaire :**
- Pratiquez 30 secondes. Reposez-vous 1 minute.
- Recommencez 4 fois.
• **Si vous faites une activité physique occasionnelle :**
- Pratiquez 1 minute. Reposez-vous 1 minute.
- Recommencez 4 fois.
• **Si vous vous entraînez régulièrement en salle de remise en forme ou si vous pratiquez un sport :**
- Pratiquez 1 minute. Reposez-vous 1 minute.
- Pratiquez 2 minutes. Reposez-vous 1 minute.
- Pratiquez 3 minutes. Reposez-vous 1 minute.

OU

L'exercice C - Croisés et décroisés de jambe

Faites la même chose que pour l'exercice B.

Simple rappel

Durant ce dernier exercice, veillez à accélérer le moins possible votre respiration. La respiration se dissocie de cette façon :
• l'air courant correspond à peu près au demi-litre d'air déplacé à chaque respiration normale ;
• l'air complémentaire d'un litre et demi est le volume d'air inspiré en plus, lorsqu'on force son inspiration, en vue d'un effort ;
• l'air de réserve d'un litre et demi est le volume d'air expiré en plus lorsqu'on force son expiration ;
• l'air résiduel est le volume d'air d'un litre et demi qui reste en permanence dans les poumons, même après une expiration forcée.

Les sportifs parlent souvent de la capacité vitale ; à quoi correspond-elle ?

La capacité vitale est la somme air courant + air de réserve + air complémentaire.

Les exercices ci-contre permettent d'améliorer les mouvements respiratoires et ainsi d'obtenir une meilleure résistance à l'effort.

Votre séance du mercredi en 15 minutes

> Voir détails dans les pages suivantes (description, rythme, niveau, conseils...).

Exercice 1

Pour tonifier et muscler vos fessiers.
Faire passer la jambe supérieure devant et derrière l'autre.
Faites au minimum : 3 séries d'une vingtaine d'aller-retour de la jambe.

Exercice 2

Pour tonifier vos abdominaux et éliminer la couche graisseuse au niveau de votre ventre.
Croisés et décroisés des jambes.
Faites au minimum : 3 séries de 30 croisés de jambes.

Exercice 3

Pour tonifier et muscler vos fesses.
Cercles de la jambe.
Faites au minimum : 2 séries de 10 cercles dans un sens puis 2 séries de 10 cercles dans l'autre.

> **Reposez-vous une trentaine de secondes entre chaque exercice.**

Exercice 4

Pour éliminer vraiment, choisissez votre exercice.
La corde à sauter.
Faites au minimum : 1 minute, avec 1 minute de repos.
A répéter 4 fois.
Les montées de genoux.
Faites au minimum : 30 secondes avec 1 minute de récupération. A répéter 4 fois.
Les croisés et décroisés.
Faites au minimum : 30 secondes avec 1 minute de récupération. A répéter 4 fois.

Exercice 1

Faire passer la jambe supérieure devant et derrière l'autre en alternance

Tête en repos sur le bras

Bras en extension

Paume vers le sol

Jambes tendues

Pieds en flexion

Comment le faire ?

En position allongée sur le côté.
Faites passer (sans la poser) la jambe supérieure de part et d'autre de l'autre. Montez-la assez haut.

Comment respirer ?

Expirez par la bouche lorsque la jambe est le plus près du buste.

Combien de fois faut-il répéter ce mouvement ?

• Vous êtes sédentaire :
Faites 3 séries d'une vingtaine d'aller-retour de la jambe tendue à votre rythme. Changez de côté.
Reposez-vous une trentaine de secondes entre les séries.

• Vous faites une activité physique occasionnellement :
Faites 3 séries d'une trentaine d'aller-retour de la jambe tendue à votre rythme. Changez ensuite de côté.
Reposez-vous une trentaine de secondes entre les séries.

• Vous vous entraînez régulièrement en salle de remise en forme ou vous pratiquez un sport :
Faites 4 séries d'une trentaine d'aller-retour de la jambe tendue à votre rythme. Changez ensuite de jambe.
Diminuez les temps de récupération entre les séries.

Le détail important

Ramenez bien vos jambes tendues le plus près possible de votre buste, afin d'éviter toute courbure lombaire.

Les éléments qui accentuent la présence de cellulite :

• Un dysfonctionnement hormonal.
• Une alimentation trop salée, sucrée ou grasse.
• Des problèmes circulatoires.
• Une absence d'activité physique (cela ne vous concerne pas...).

Hormones et cellulite

Les hormones, appelées progestérone et œstrogènes, interviennent dans l'apparition du tissu adipeux.
Elles favorisent la prolifération des préadipocytes et leur transformation en adipocytes (cellules graisseuses).
Elles jouent également un rôle au niveau de leur taille.
Un excès d'œstrogènes peut créer un problème de rétention d'eau.

Votre séance détaillée du mercredi

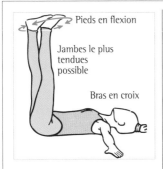

Pieds en flexion

Jambes le plus tendues possible

Bras en croix

Le détail important

Travaillez en amplitude maximale : ne vous contentez pas de faire de tout petits mouvements.

D'où provient l'œdème qui accompagne parfois la cellulite ?

Il est issu du déséquilibre entre l'excès de liquide passant des veines vers les tissus et le retour difficile de ce liquide vers les canaux lymphatiques (qui normalement assurent le retour de ce liquide dans le sang).
Si vous êtes sujette aux œdèmes : évitez les longues stations debout , la chaleur et les plats trop salés.
Soyez également vigilante quant à la prise d'œstrogènes.

Exercice 2
Croisés et décroisés des jambes

Comment le faire ?
En position allongée sur le dos, les jambes tendues à la verticale. Les croiser et les décroiser.

Comment respirer ?
Expirez par la bouche sur le rapprochement des jambes.

Combien de fois faut-il répéter ce mouvement ?
• **Vous êtes sédentaire :**
Faites 3 séries de 30 croisés des jambes à votre rythme.
Reposez-vous une trentaine de secondes entre les séries.

• **Vous faites une activité physique occasionnellement :**
Faites 3 séries de 40 croisés des jambes à votre rythme.
Reposez-vous une trentaine de secondes entre les séries.

• **Vous vous entraînez régulièrement en salle de remise en forme ou vous pratiquez un sport :**
Faites 4 séries de 30 croisés des jambes sur un rythme dynamique.
Diminuez le temps de récupération entre les séries.

Parlons progestérone...

Elle est sécrétée par les ovaires durant la période prémenstruelle. Elle tempère l'action des œstrogènes (substances chimiques fabriquées également par les ovaires) et prépare l'utérus à une éventuelle grossesse.
Son insuffisance peut être à l'origine d'œdèmes, de sensations mammaires douloureuses et, éventuellement, de kilos supplémentaires. Elle n'entraîne pas directement ces inconvénients ; ce sont les œstrogènes en excès qui en sont la cause. La progestérone peut toutefois influencer les œstrogènes dans leur tendance à provoquer de la rétention d'eau. Lorsqu'une femme a l'impression de «gonfler» avant ses règles, c'est souvent dû à cette situation.

Exercice 3
Cercles d'une jambe sur le côté

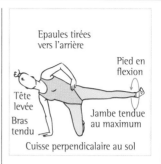

Epaules tirées
vers l'arrière

Pied en
flexion

Tête
levée

Bras
tendu

Jambe tendue
au maximum

Cuisse perpendicalaire au sol

Comment le faire ?

A partir de la position à genoux. Basculez sur un côté en prenant appui sur la main. Elevez la jambe sur le côté : pratiquez des cercles de cette jambe, en gardant le dos le plus immobile possible.

Comment respirer ?

Expirez par la bouche sur la partie haute des cercles.

Combien de fois faut-il répéter ce mouvement ?

• Vous êtes sédentaire :
Faites 2 séries de 10 cercles de la jambe dans un sens puis 2 séries de 10 cercles dans l'autre, à votre rythme.
Reposez-vous une trentaine de secondes entre les séries.
Changez de jambe (et donc de côté).

• Vous faites une activité physique occasionnellement :
Faites 2 séries de 15 cercles de la jambe dans un sens puis 2 séries de 15 cercles dans l'autre, à votre rythme.
Reposez-vous une trentaine de secondes entre chaque série.
Changez ensuite de côté.

• Vous vous entraînez régulièrement en salle de remise en forme ou vous pratiquez un sport :
Faites 2 séries de 20 grands cercles de la jambe dans un sens puis dans l'autre, un rythme assez dynamique. Changez de côté. Diminuez le temps de récupération entre les séries.

Le détail important

La main et le genou en appui sur le sol doivent être sur le même alignement que la jambe en élévation.

Vive le diététicien !

N'hésitez pas à consulter un diététicien afin de mieux équilibrer vos repas.
Il a pour rôle de personnaliser les menus en fonction des goûts et des disponibilités de chacun pour cuisiner.
Perdre du poids en s'alimentant de façon plus agréable devient ainsi moins ardu.

Régimes et cellulite

Il est maintenant reconnu que les régimes basses calories ne solutionnent en aucune façon les problèmes de cellulite.
Ils amincissent le haut du corps, fatiguent l'organisme, stressent et n'agissent qu'en dernier et faiblement sur les petites rondeurs.

Votre séance détaillée du mercredi

Pour éliminer : choisissez entre ces trois exercices.

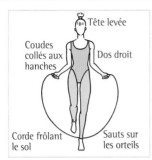

Tête levée

Coudes collés aux hanches

Dos droit

Corde frôlant le sol

Sauts sur les orteils

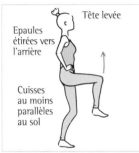

Tête levée

Epaules étirées vers l'arrière

Cuisses au moins parallèles au sol

Tête levée

Appui sur les orteils

Le détail important

Conservez votre dos le plus droit possible en permanence.

Exercice 4

Comment le faire ?

A. Afin de bien sauter à la corde :
- Vérifiez qu'elle n'est pas trop longue (les poignées doivent être au niveau de la taille, lorsque les coudes sont collés au corps et que la corde frôle le sol).
- Sautez légèrement d'un pied sur l'autre, sans jamais poser le talon.
- Gardez un rythme de sauts régulier.
- Conservez le dos droit en permanence.

B. Afin de bien monter les genoux :
- Concentrez-vous.
- Balancez les bras fléchis pour vous aider si vous ne l'avez jamais fait.
- Conservez le dos droit et la tête levée.
- Montez vos genoux toujours à la même hauteur.

C. Afin de bien croiser et décroiser les jambes :
- Gardez le dos bien droit.
- Mettez vos mains sur les hanches.
- Conservez toujours les jambes un peu fléchies.

Qu'est-ce que les compléments alimentaires ?

Ce sont pour la plupart des complexes vitaminiques ou minéraux, qu'il est souhaitable d'absorber lorsque l'alimentation est déséquilibrée.

On trouve aussi parmi les compléments alimentaires la gelée royale, le ginseng, la levure de bière, la poudre de coquilles d'huîtres...

Il est déraisonnable d'en abuser ou de les utiliser n'importe comment : l'avis d'un nutritionniste est indispensable pour juger s'ils sont vraiment indispensables pour vous.

Comment respirer ?

Veillez à avoir une respiration régulière :
- Inspirez par le nez.
- Expirez par la bouche.

Combien de fois faut-il faire ce mouvement ?

Faites votre choix :

L'exercice A - Le saut à la corde

• **Si vous êtes sédentaire :**
- Pratiquez 1 minute, reposez-vous 1 minute.
- Faites-le 4 fois.
• **Si vous faites une activité physique occasionnelle :**
- Pratiquez 1 minute. Reposez-vous 1 minute.
- Pratiquez 1,30 minute. Reposez-vous 1 minute.
- Pratiquez 2 minutes en augmentant légèrement votre rythme. Reposez-vous.
• **Si vous vous entraînez régulièrement en salle de remise en forme ou si vous pratiquez un sport :**
- Pratiquez 1 minute. Reposez-vous 1 minute.
- Pratiquez 1,30 minute. Reposez-vous 1 minute.
- Pratiquez 3 minutes en augmentant votre rythme à la dernière minute. Reposez-vous.

OU

L'exercice B - Les montées de genoux

• **Si vous êtes sédentaire :**
- Pratiquez 30 secondes. Reposez-vous 1 minute.
- Faites-le 4 fois.
• **Si vous faites une activité physique occasionnelle :**
- Pratiquez 1 minute. Reposez-vous 1 minute.
- Faites-le 4 fois en accélérant légèrement votre rythme.
• **Si vous vous entraînez régulièrement en salle de remise en forme ou si vous pratiquez un sport :**
- Pratiquez 1 minute. Reposez-vous 1 minute.
- Pratiquez 2 minutes. Reposez-vous 1 minute.
- Pratiquez 3 minutes en accélérant votre rythme. Reposez-vous.

OU

L'exercice C - Croisés et décroisés de jambe

Faites la même chose que pour l'exercice B.

Un élément important de l'hygiène de vie : le sommeil

Il est constitué d'une succession de plusieurs cycles. Chaque cycle comporte deux phases : le sommeil lent et le sommeil paradoxal (appelé également sommeil rapide). Une nuit d'environ 8 heures de sommeil comprend 4 cycles, de 90 à 100 minutes chacun, qui s'enchaînent. De récentes études ont démontré le rôle essentiel du sommeil lent sur la croissance ou la digestion par exemple.

Il est indispensable de diminuer le moins possible cette période de récupération car, durant le sommeil paradoxal, le système nerveux et la mémoire se réorganisent, les rêves permettant l'évacuation des idées et des sentiments : le rééquilibrage s'effectue. Il a bien sûr une influence indirecte sur la cellulite ou la graisse à travers le comportement dû à un état de repos ou de fatigue.

Votre séance du jeudi en 15 minutes

Voir détails dans les pages suivantes (description, rythme, niveau, conseils...).

Exercice 1

Pour tonifier vos abdominaux et éliminer la couche graisseuse de votre ventre.
Flexion et extension des jambes écartées.
Faites au minimum : 3 séries de 12 flexions-extensions des jambes. Repos de 30 sec. entre les séries.

Exercice 2

Pour tonifier et muscler vos fessiers.
Petits cercles de la jambe tendue à l'arrière.
Faites au minimum : 2 séries de 10 cercles dans un sens puis dans l'autre de chaque jambe. Repos de 20 sec. entre les séries.

Exercice 3

Pour tonifier vos abdominaux et éliminer la couche graisseuse de votre ventre.
Petits cercles avec les jambes tendues.
Faites au minimum : 2 séries de 10 cercles dans un sens puis dans l'autre. Repos de 20 sec. entre les séries.

Reposez-vous une trentaine de secondes entre chaque exercice.

Exercice 4

Pour éliminer vraiment, choisissez votre exercice.
La corde à sauter.
Faites au minimum : 1 minute, avec 1 minute de repos.
A répéter 4 fois.
Les montées de genoux.
Faites au minimum : 30 secondes avec 1 minute de récupération. A répéter 4 fois.
Les croisés et décroisés.
Faites au minimum : 30 secondes avec 1 minute de récupération. A répéter 4 fois.

Votre séance détaillée du jeudi

Exercice 1
Flexion et extension des jambes écartées en contractions abdominales

Comment le faire ?
En position allongée sur le dos.
Faites des flexions-extensions à la verticale.

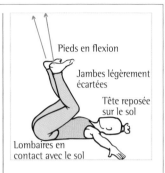

Pieds en flexion

Jambes légèrement écartées

Tête reposée sur le sol

Lombaires en contact avec le sol

Comment respirer ?
Expirez par la bouche sur l'extension de la jambe.

Combien de fois faut-il répéter ce mouvement ?

• Vous êtes sédentaire :
Faites 3 séries de 12 flexions-extensions des jambes à votre rythme.
Reposez-vous une trentaine de secondes entre les séries.

• Vous faites une activité physique occasionnellement :
Faites 3 séries de 15 flexions-extensions des jambes à votre rythme.
Reposez-vous une trentaine de secondes entre les séries.

• Vous vous entraînez régulièrement en salle de remise en forme ou vous pratiquez un sport :
Faites 3 séries de 20 flexions-extensions des jambes sur un rythme dynamique.
Diminuez les temps de récupération entre les séries.

Le détail important
Evitez de prendre trop d'élan à chaque extension des jambes.

Les quelques appareils de cardio-training brûleurs de graisses
- Le «stepper» (appareil spécial pour les fessiers).
- Le «free-runner» (appareil à pédales où l'on propulse les jambes vers l'avant).
- Le tapis de course qui permet d'évacuer les toxines et les calories.
- Le cyclo-exerciseur (sorte de vélo «assis» où les bras s'actionnent).
- Le vélo tout simplement.

Les repas pantagruéliques ont-ils une influence sur la silhouette ?
Normalement non ! Faire un ou deux repas exceptionnels dans l'année n'entraîne en aucun cas l'apparition brutale de surplus pondéral.
Il convient toutefois de se nourrir légèrement durant les 48 heures qui suivent cet extra.
Pour limiter toutefois l'apport calorique tout en valorisant le plaisir gustatif : pensez à boire par petites quantités en alternance avec les mets, à savourer lentement.

Votre séance détaillée du jeudi

Pied
en flexion
Jambe tendue
Dos plat
Angle droit
Jambe perpendiculaire
Bras perpendiculaires

Le détail important

Faites des cercles assez grands, autant identiques que possible.

N'hésitez pas à adapter les exercices à vos aptitudes

N'hésitez pas à personnaliser les exercices que vous pratiquez dans le cadre de ce guide ou dans des cours de culture physique.
Si un exercice vous semble trop difficile : fléchissez le bras ou la jambe active.
C'est moins efficace mais cela évite de faire un faux mouvement.
En revanche, respectez toujours ces grands principes :
- Ayez toujours le dos plat.
- Le bas du dos doit être légèrement arrondi.
- Faites attention de ne pas casser la nuque.
Et expirez au moment où vous ressentez l'effort.

Exercice 2
Petits cercles de la jambe tendue à l'arrière

Comment le faire ?

En position quadrupédique (à quatre pattes).
Faites des cercles d'une jambe tendue à l'arrière.

Comment respirer ?

Expirez par la bouche sur la partie haute du cercle.

Combien de fois faut-il répéter ce mouvement ?

• **Vous êtes sédentaire :**
Faites 2 séries de 10 cercles, dans un sens puis dans l'autre (ce qui fait 40 cercles en tout).
Reposez-vous une vingtaine de secondes entre les séries.

• **Vous faites une activité physique occasionnellement :**
Faites 2 séries de 15 cercles, dans un sens puis dans l'autre (ce qui fait 60 cercles en tout).
Reposez-vous une vingtaine de secondes entre les séries.

• **Vous vous entraînez régulièrement en salle de remise en forme ou vous pratiquez un sport :**
Faites 2 séries de 20 cercles, dans un sens puis dans l'autre (ce qui fait 80 cercles en tout) sur un rythme dynamique.
Diminuez le temps de récupération entre les séries.

S'activer pour éliminer

Les dépenses liées à l'activité physique pour une personne sédentaire ne représentent que 30 % environ de la totalité des dépenses de la journée.
Un sportif professionnel peut en dépenser 60 %.
Pensez à ne pas rater une occasion de monter des escaliers (sans paquet), à marcher rapidement... et réapprenez à courir. L'aptitude à la course se perd rapidement avec l'âge. Peu de femmes après 50 ans arrivent à courir sur une longue distance sans s'essouffler (la course à pied est excellente pour la cellulite).

Exercice 3
Petits cercles des jambes tendues

Comment le faire ?

Sur le dos : faites des cercles assez grands des jambes tendues et serrées.

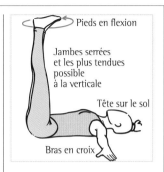

Pieds en flexion

Jambes serrées et les plus tendues possible à la verticale

Tête sur le sol

Bras en croix

Comment respirer ?

Expirez par la bouche en remontant les jambes vers vous.

Combien de fois faut-il répéter ce mouvement ?

• **Vous êtes sédentaire :**
Faites 2 séries de 10 cercles dans un sens puis dans l'autre (ce qui fait 40 cercles en tout).
Reposez-vous une trentaine de secondes entre les séries.

• **Vous faites une activité physique occasionnellement :**
Faites 2 séries de 15 cercles dans un sens puis dans l'autre (ce qui fait 60 cercles en tout).
Reposez-vous une trentaine de secondes entre chaque série.

• **Vous vous entraînez régulièrement en salle de remise en forme ou vous pratiquez un sport :**
Faites 2 séries de 20 cercles dans un sens puis dans l'autre (ce qui fait 80 cercles en tout).
Diminuez le temps de récupération entre les séries.

Le détail important

Ne laissez pas trop aller vos jambes vers l'arrière, afin d'éviter toute cambrure lombaire.

Sport et hydratation

N'oubliez pas de bien vous hydrater par petites quantités durant votre séance d'entraînement.
Ne buvez pas trop avant de vous exercer pour ne pas ressentir une gêne sur l'estomac.
Consommez plutôt de l'eau plate, en alternant une semaine eau de source et une semaine eau minérale. L'Hépar et la Contrex sont recommandées pour éliminer. Terminez de préférence avec de l'eau gazeuse.
Vous pouvez éventuellement y ajouter un peu de jus de fruits pressés.

Pour les personnes pressées

Si vous êtes très active, ne perdez pas de temps.
Profitez des moments de récupération entre deux séries d'exercices pour vous masser les hanches et les cuisses.
Les massages activent les échanges cellulaires et décontractent la masse musculaire en aidant à l'élimination de l'acide lactique.
Faites de longs cercles avec la paume sur un rythme lent sans appuyer les doigts ; évitez les articulations.

Votre séance détaillée du jeudi

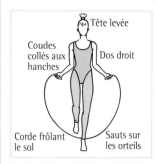

Tête levée

Coudes collés aux hanches

Dos droit

Corde frôlant le sol

Sauts sur les orteils

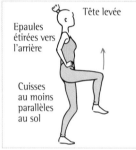

Tête levée

Epaules étirées vers l'arrière

Cuisses au moins parallèles au sol

Tête levée

Appui sur les orteils

Le détail important

Gardez le plus possible un rythme d'exécution des mouvements constant.

Pour éliminer : choisissez entre ces trois exercices.

Exercice 4

Comment le faire ?

A. Afin de bien sauter à la corde :
- Vérifiez qu'elle n'est pas trop longue (les poignées doivent être au niveau de la taille, lorsque les coudes sont collés au corps et que la corde frôle le sol).
- Sautez légèrement d'un pied sur l'autre, sans jamais poser le talon.
- Gardez un rythme de sauts régulier.
- Conservez le dos droit en permanence.

B. Afin de bien monter les genoux :
- Concentrez-vous.
- Balancez les bras fléchis pour vous aider si vous ne l'avez jamais fait.
- Conservez le dos droit et la tête levée.
- Montez vos genoux toujours à la même hauteur.

C. Afin de bien croiser et décroiser les jambes :
- Gardez le dos bien droit.
- Mettez vos mains sur les hanches.
- Conservez toujours les jambes un peu fléchies.

Qu'est-ce que le type gynoïde?

C'est un type de corps où la cellulite ou la graisse sont placées sur les hanches et les cuisses, le ventre et les fessiers.

La femme possède génétiquement un plus grand nombre d'adipocytes (cellules graisseuses) que l'homme. Elle a ainsi plus tendance à prendre du poids.

D'après les statistiques, il y aurait plus de femmes ayant dépassé le nombre acceptable de kilos que d'hommes.

La graisse ou cellulite d'un type gynoïde a la réputation d'être plus difficile à perdre qu'un surplus généralisé : elle est en effet localisée, en masse plus importante dans une zone bien précise mais une lutte acharnée et constante peut en venir à bout !

Votre séance détaillée du jeudi

Comment respirer ?

Veillez à avoir une respiration régulière :
- Inspirez par le nez.
- Expirez par la bouche.

Combien de fois faut-il faire ce mouvement ?

Faites votre choix :

L'exercice A - Le saut à la corde

• **Si vous êtes sédentaire :**
- Pratiquez 1 minute, reposez-vous 1 minute.
- Faites-le 4 fois.
• **Si vous faites une activité physique occasionnelle :**
- Pratiquez 1 minute. Reposez-vous 1 minute.
- Pratiquez 1 minute. Reposez-vous 1 minute.
- Pratiquez 2,30 minutes. Reposez-vous.
• **Si vous vous entraînez régulièrement en salle de remise en forme ou si vous pratiquez un sport :**
- Pratiquez 1 minute. Reposez-vous 1 minute.
- Pratiquez 1,30 minute. Reposez-vous 1 minute.
- Pratiquez 2,30 minutes. Reposez-vous 1minute.
- Pratiquez 3 minutes. Reposez-vous.

OU
L'exercice B - Les montées de genoux

• **Si vous êtes sédentaire :**
- Pratiquez 30 secondes. Reposez-vous 1 minute.
- Recommencez 4 fois.
• **Si vous faites une activité physique occasionnelle :**
- Pratiquez 1,30 minute. Reposez-vous 1 minute.
- Recommencez 4 fois.
• **Si vous vous entraînez régulièrement en salle de remise en forme ou si vous pratiquez un sport :**
- Pratiquez 1 minute. Reposez-vous 1 minute.
- Pratiquez 2 minutes. Reposez-vous 1 minute.
- Pratiquez 2 minutes. Reposez-vous 1 minute.
- Recommencez ensuite 2 fois cette dernière phase.

OU
L'exercice C - Croisés et décroisés de jambe
Faites la même chose que pour l'exercice B.

La relaxation au service de la cellulite

La technique de relaxation Jacobson est reconnue pour être un excellent anti-stress. Il s'agit de contracter puis de relâcher les muscles, provoquant ainsi un état de détente profonde.
Cette méthode permet de développer ses facultés de concentration.
Il est nécessaire de faire au moins une douzaine de séances en moyenne pour s'imprégner réellement de la méthode et pour en appliquer les préceptes au quotidien. Il est exact qu'au bout d'une certaine période de pratique, il est possible de constater une légère diminution de la masse œdémateuse.
En effet, le stress engendre souvent une rétention d'eau.

Votre séance du vendredi en 15 minutes

Voir détails dans les pages suivantes (description, rythme, niveau, conseils...).

Exercice 1

Pour tonifier et muscler vos fessiers.
Petits cercles de la jambe tendue.
Faites au minimum : 2 séries de 10 cercles dans un sens et dans l'autre, avec chaque jambe.

Exercice 2

Pour tonifier et muscler vos fessiers.
Le coude touche le genou opposé.
Faites au minimum : 3 séries de 12 touchés coude-genoux à votre rythme.

Exercice 3

Pour tonifier vos abdominaux et éliminer la couche graisseuse de votre ventre.
Flexions des jambes.
Faites au minimum : 2 séries de 8 flexions. Reposez-vous 1 minute entre chaque série.

Reposez-vous une trentaine de secondes entre chaque exercice.

Exercice 4

Pour éliminer vraiment, choisissez votre exercice.
La corde à sauter.
Faites au minimum : 1 minute, avec 1 minute de repos. A répéter 4 fois.
Les montées de genoux.
Faites au minimum : 30 secondes avec 1 minute de récupération. A répéter 4 fois.
Les croisés et décroisés.
Faites au minimum : 30 secondes avec 1 minute de récupération. A répéter 4 fois.

Exercice 1
Petits cercles de la jambe tendue

Tête reposée sur le bras
Dos droit
Bras dans le prolongement du corps
Angle droit
Jambes tendues

Comment le faire ?

Sur le côté.
Faites des cercles assez grands de la jambe supérieure tendue au maximum

Comment respirer ?

Expirez à chaque partie supérieure du cercle.

Le détail important
Conservez le dos immobile en activant la jambe.

Combien de fois faut-il répéter ce mouvement ?

• **Vous êtes sédentaire :**
Faites 2 séries de 10 cercles, dans un sens puis dans l'autre, d'une jambe, à votre rythme. Changez ensuite de côté (ce qui fait 40 cercles en tout).
Reposez-vous une trentaine de secondes entre chaque série.

• **Vous faites une activité physique occasionnellement :**
Faites 2 séries de 15 cercles, dans un sens puis dans l'autre, d'une jambe, à votre rythme. Changez ensuite de côté (ce qui fait 60 cercles en tout).
Reposez-vous une trentaine de secondes entre les séries.

• **Vous vous entraînez régulièrement en salle de remise en forme ou vous pratiquez un sport :**
Faites 2 séries de 20 cercles, dans un sens puis dans l'autre, d'une jambe, à votre rythme. Changez ensuite de côté (ce qui fait 80 cercles en tout).
Diminuez les temps de récupération entre les séries.

Faites votre petite salle de remise en forme à peu de frais sur 2 m²

Ce que l'on nomme le petit matériel : lests, petits poids, élastique, tapis de gymnastique, bâton, barre de suspension, est en vente dans toutes les grandes surfaces spécialisées. Ils ne nécessitent que peu de place de rangement et sont utiles pour varier les exercices.
• Petits poids : choisissez-les avec disque d'acier.
• Achetez des manches à balai plutôt que des bâtons classiques de gymnastique car il est difficile d'en trouver de suffisamment longs.
• Quant aux barres de suspension, prenez-les en métal, à fixer avec des clous dans l'encadrement d'une porte. Evitez, pour des raisons de sécurité, celles qui se vissent.

Petite info

Il peut y avoir un risque limité de phlébite lors d'une lipo-aspiration.

Cela peut également entraîner l'apparition de petites varices, qui sont d'autant plus apparentes que la cellulite n'existe plus.

Votre séance détaillée du vendredi

Pied en flexion

Jambe semi-fléchie

Tête levée

Talon au sol

Mains croisées derrière la nuque ou sous les omoplates

Le détail important

Ne tirez pas sur la nuque avec les mains : essayez de garder votre tête levée au maximum.

Pour éviter la cellulite : faites la guerre aux toxines

L'alcool, les sucres simples colorés, les cigarettes, le café en excès, l'alimentation grasse et le manque de sommeil sont autant de facteurs qui accentuent l'apparition de la cellulite.
Ils représentent une surcharge de travail pour l'organisme en raison des déchets qu'ils occasionnent.

Exercice 2
Le coude touche le genou opposé

Comment le faire ?

Allongée sur le dos.
Touchez votre genou droit avec le coude gauche en remontant le buste au maximum, puis inversez.

Comment respirer ?

Expirez par la bouche à chaque contact coude-genou.

Combien de fois faut-il répéter ce mouvement ?

• **Vous êtes sédentaire :**
Faites 2 séries de 12 touchés coude-genou à votre rythme.
Reposez-vous une trentaine de secondes entre chaque série.

• **Vous faites une activité physique occasionnellement :**
Faites 3 séries de 15 touchés coude-genou à votre rythme.
Reposez-vous une vingtaine de secondes entre les séries.

• **Vous vous entraînez régulièrement en salle de remise en forme ou vous pratiquez un sport :**
Faites 3 séries de 20 touchés coude-genou à votre rythme.
Diminuez le temps de récupération entre les séries.

L'appareil stepper est-il recommandé pour lutter contre la cellulite ?

Pas vraiment, il renforce l'ensemble de la masse fessière et la développe ainsi que les cuisses. Il n'agit pas aussi efficacement sur la cellulite que le tapis de course par exemple. La plupart possèdent un contrôleur de pulsations cardiaques (prenez-en soin, car c'est fragile !).

Evitez l'acquisition d'un mini-stepper d'appartement qui provoque une mauvaise position du dos.

Exercice 3
Flexion des jambes

Comment le faire ?

Debout : faites des flexions des jambes.
Ayez au moins les cuisses parallèles au sol à chaque descente.

Tête levée

Epaules
à l'arrière

Dos
droit

Pieds en
ouverture

Talons sur la
même ligne

Comment respirer ?

Expirez par la bouche en vous redressant.

Combien de fois faut-il répéter ce mouvement ?

• **Vous êtes sédentaire :**
Faites 2 séries de 8 flexions.
Reposez-vous une minute entre chaque série.

• **Vous faites une activité physique occasionnellement :**
Faites 2 séries de 15 flexions.
Reposez-vous une minute entre chaque série.

• **Vous vous entraînez régulièrement en salle de remise en forme ou vous pratiquez un sport :**
Faites 2 séries de 20 flexions.
Diminuez le temps de récupération entre les séries.

Le détail important

Descendez suffisamment sur vos jambes pour un résultat optimal.

Les plantes bénéfiques contre la cellulite

**La tige d'ananas, riche en bromolaïne, favoriserait la résorption des zones œdémateuses.
Ne vous trompez pas, le fruit de l'ananas, lui, n'agit absolument pas !
L'asperge, elle, aurait le pouvoir de favoriser l'élimination. Elle est connue pour être dépurative et avoir des propriétés désinfiltrantes.
Si vous souffrez de troubles cardiaques, elle pourrait les atténuer !
La reine des prés est diurétique et désinfiltre les endroits gorgés d'eau.
Toutes ces plantes sont à essayer avec l'avis d'un spécialiste.**

Les appareils de style rameur ont la réputation d'être complets, est-ce vrai ?

Oui ! Ils sollicitent 95 % de la masse musculaire. Préférez un appareil avec un «système câble» qui assure une meilleure position du dos. Ils renforcent les systèmes cardio-pulmonaire et vasculaire mais ils sont moins spécifiquement anti-cellulite que le tapis roulant ou le vélo.

Un point à ne pas oublier : lorsque vous tirez sur votre rameur, pensez à réaliser l'effort avec les bras et non avec le dos.

Votre séance détaillée du vendredi

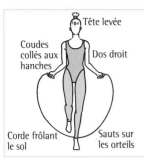

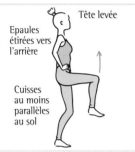

Pour éliminer : choisissez entre ces trois exercices.

Exercice 4

Comment le faire ?

A. Afin de bien sauter à la corde :
- Vérifiez qu'elle n'est pas trop longue (les poignées doivent être au niveau de la taille, lorsque les coudes sont collés au corps et que la corde frôle le sol).
- Sautez légèrement d'un pied sur l'autre, sans jamais poser le talon.
- Gardez un rythme de sauts régulier.
- Conservez le dos droit en permanence.

B. Afin de bien monter les genoux :
- Concentrez-vous.
- Balancez les bras fléchis pour vous aider si vous ne l'avez jamais fait.
- Conservez le dos droit et la tête levée.
- Montez vos genoux toujours à la même hauteur.

C. Afin de bien croiser et décroiser les jambes :
- Gardez le dos bien droit
- Mettez vos mains sur les hanches.
- Conservez toujours les jambes un peu fléchies.

Le détail important

Si vous choisissez l'exercice A, par exemple, ne changez pas en cours de route pour faire le B ou le C.

La pratique sportive ouvre-t-elle l'appétit ?

Sachez d'abord qu'après avoir pratiqué un sport, une sensation de satiété apparaît et dure environ deux heures ; l'appétit revient ensuite progressivement mais sans excès.

Une certitude : on mange plus en étant sédentaire qu'en étant actif.

Il est bien évident que pour les sports de longue durée tels les marathons, il importe de se nourrir tant que dure l'effort, mais ce n'est pas la faim qui guide ce besoin : c'est la fatigue.

Il est essentiel dans ce genre d'activité de donner périodiquement du carburant au corps.

Comment respirer ?

Veillez à avoir une respiration régulière :
- Inspirez par le nez.
- Expirez par la bouche.

Combien de fois faut-il faire ce mouvement ?

Faites votre choix :

L'exercice A - Le saut à la corde

• **Si vous êtes sédentaire :**
- Pratiquez 1 minute, reposez-vous 1 minute.
- Faites-le 4 fois.
• **Si vous faites une activité physique occasionnelle :**
- Pratiquez 1 minute. Reposez-vous 1 minute.
- Pratiquez 1 minute. Reposez-vous 1 minute.
- Pratiquez 2 minutes. Reposez-vous.
• **Si vous vous entraînez régulièrement en salle de remise en forme ou si vous pratiquez un sport :**
- Pratiquez 1 minute. Reposez-vous 1 minute.
- Pratiquez 1,30 minute. Reposez-vous 1 minute.
- Pratiquez 2,30 minutes. Reposez-vous 1minute.
- Pratiquez 3 minutes. Reposez-vous.

OU

L'exercice B - Les montées de genoux

• **Si vous êtes sédentaire :**
- Pratiquez 30 secondes. Reposez-vous 1 minute.
- Recommencez 4 fois.
• **Si vous faites une activité physique occasionnelle :**
- Pratiquez 1 minute. Reposez-vous 1 minute.
- Recommencez 4 fois.
• **Si vous vous entraînez régulièrement en salle de remise en forme ou si vous pratiquez un sport :**
- Pratiquez 1,30 minute. Reposez-vous 1 minute.
- Pratiquez 2 minutes. Reposez-vous 1 minute.
- Recommencez ensuite 2 fois cette dernière phase.

OU

L'exercice C - Croisés et décroisés de jambe

Faites la même chose que pour l'exercice B.

Le savez-vous ?

Il est tout à fait possible de subir une intervention de chirurgie esthétique dans les hôpitaux publics, comme ceux de Tenon, de Saint-Vincent-de-Paul, de Poissy, du Kremlin-Bicêtre, de Saint-Louis, d'Ambroise Paré, de l'hôpital européen George Pompidou.
Les délais sont, certes, très longs mais les interventions ont un suivi très sérieux. Une petite déception : ces interventions ne sont pas toujours moins onéreuses que dans le privé !

Attention

Il ne sert à rien d'ingurgiter des comprimés de vitamine C surdosés.
En effet, le surplus de vitamine est éliminé et crée un surcroît de fatigue à l'organisme.
Une orange le matin suffit à satisfaire les besoins du corps pour la journée.

Votre séance du samedi en 15 minutes

Voir détails dans les pages suivantes (description, rythme, niveau, conseils...).

Exercice 1

Etirement dorsal de 12 secondes de pause.
Faites 3 étirements.

Exercice 2

Etirement de l'arrière des cuisses (des ischio-jambiers) de 12 secondes de pause.
Faites-en 2 de chaque jambe.

Exercice 3

Etirement de l'intérieur des cuisses (des adducteurs) de 12 secondes de pause.
Faites 3 étirements.

Exercice 4

Relaxation.
Faites-la durant 3 minutes minimum.

Vous avez bien tonifié votre corps toute cette semaine, ce dernier jour va donc être consacré au travail d'étirement indispensable.

Reposez-vous bien pendant une minute entre les exercices.

Où vont les calories ingurgitées dans la journée ?

• 1200 calories sont utilisées par le métabolisme de base (battements de cœur, respiration etc.).
• 150 calories sont brûlées par la régulation thermique (chaleur corporelle).
• 200 calories disparaissent dans le travail de thermogenèse alimentaire (digestion).
• 450 calories sont consommées par la masse musculaire.

Exercice 1
Etirement dorsal

Comment le faire ?

Debout : fléchissez lentement le corps vers l'avant et placez les mains sur le sol le plus loin possible.
Restez 12 secondes dans cette posture.
Relevez-vous lentement en déroulant bien le dos avant de recommencer 2 autres fois.

Jambes tendues très peu écartées

Tête relâchée

Bras tendus

Le détail important
Ne collez pas les talons.

Cette méthode d'assouplissement se nomme «stretching»

Elle est très efficace car, en restant suffisamment longtemps sur une posture, les muscles ont vraiment le temps de se décontracter puis de s'étirer en douceur.

A l'origine, le stretching est issu du hatha-yoga, de la gymnastique et de la danse classique.

Les cinq techniques fondamentales sont :

• Le «Passive Lift and Hold»
Il s'agit d'exercer une traction passive et de tenir la position.

• La méthode P.N.F.
«Proprioceptive Neuromuscular Facilitation»
Elle se pratique à deux.

• Le «Ballistic and Hold»
Il s'agit de balancer et de maintenir la position.

• La «Relaxation Method»
Méthode de relaxation.

• Le «Prolonged Stretching»
Stretching Prolongé.
Elle se pratique à deux.

Les bienfaits du stretching

Indispensable après avoir exercé son corps en musculation-tonification ou en cardio-training par exemple, le stretching améliore les articulations, les tendons, les muscles, les ligaments et les tissus conjonctifs.
Aussi importe-t-il de ne pas négliger cette séance du samedi car elle va améliorer fortement votre capacité d'élasticité musculaire.
Travailler sa souplesse constitue un moyen préventif contre les risques de foulures, voire de déchirures musculaires.
Ces cinq jours de la semaine, vous avez cherché à éliminer des calories et à tonifier votre corps, le sixième jour doit être consacré à la souplesse pour un bien-être vraiment réel !

Votre séance détaillée du samedi

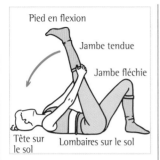

Pied en flexion
Jambe tendue
Jambe fléchie
Tête sur le sol
Lombaires sur le sol

Le détail important

Evitez de soulever la tête (si vous pouvez...).

En cas d'impossibilité de faire cette dernière séance de stretching le week-end, est-il possible de la faire à la suite de la séance de vendredi ?

Oui ! C'est uniquement une question de disponibilité en fonction de votre emploi du temps.
L'essentiel est que vous ne la supprimiez pas !
Cette séance vous sera d'autant plus bénéfique, après l'exercice de corde à sauter par exemple, parce que les postures conseillées ci-contre aident à la stimulation de la sécrétion du liquide synovial.

Exercice 2
Etirement du derrière des cuisses (ischio-jambiers)

Comment le faire ?

Allongée sur le dos.
Ramenez lentement une jambe tendue le plus près possible du visage.
Maintenez 12 secondes la posture.
Relâchez-vous doucement avant de recommencer.
Procédez de même avec l'autre jambe.

Comment respirer ?

Expirez très lentement par la bouche si vous pouvez pendant les 12 secondes de maintien.

Une méthode qui a du succès

Le stretching est utilisé comme méthode anti-stress et fortement recommandé aux personnes souffrant d'un dysfonctionnement circulatoire.

C'est pour cela qu'il apparaît dans le cadre du traitement anti-cellulitique.

Il est excellent également pour les sujets présentant un équilibre instable.

Il développe aussi une connaissance subtile du corps et de ses réactions.

Cette méthode de posture permet d'améliorer assez rapidement l'amplitude articulaire.

On constate en effet une meilleure mobilité au bout de deux ou trois mois de pratique régulière.

De plus, il retarde le durcissement des articulations.

C'est pour cela, entre autres, que les cours collectifs de stretching ont connu beaucoup de succès auprès des personnes du troisième âge, ces dernières années.

Exercice 3
Etirement de l'intérieur des cuisses (des adducteurs)

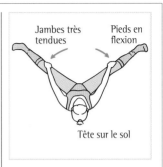

Jambes très tendues

Pieds en flexion

Tête sur le sol

Comment le faire ?

Sur le dos, jambes tendues écartées au maximum.
Appuyez progressivement et lentement vos paumes sur l'intérieur des cuisses.
Maintenez la posture 12 secondes.
Relâchez-vous lentement puis recommencez deux autres fois.

Comment respirer ?

Expirez très lentement par la bouche en vous concentrant bien, si vous le pouvez, pendant les 12 secondes de tenue posturale.

Le détail important

Le bas du dos doit être en permanence en contact sur le sol.

Attention

Ne retenez jamais votre respiration en pratiquant des exercices de stretching.
Si vous respirez lentement et progressivement, vous pourrez constater une amélioration de votre capacité vitale (c'est le volume d'air maximum dans les poumons en partant de l'état d'expiration forcée).
Sous l'effet du stretching, les muscles respiratoires s'assouplissent et répondent en conséquence à un effort cardio-pulmonaire subit.
Il améliore aussi la capacité aérobie (consommation d'oxygène, lors d'un effort).

Info-stretching

• Le stretching (to stretch veut dire «étirer») allonge les muscles et prépare bien au sommeil.

• Vous pouvez faire ces exercices le soir, sur votre moquette, avec un fond de musique douce par exemple.

• N'hésitez pas à masser en cercle et très doucement les zones travaillées après l'étirement.

• Si une tenue posturale de 12 secondes vous semble trop longue, commencez par 6 secondes par exercice, puis augmentez les temps au fur et à mesure.

• Respirez en profondeur.

• Il n'y a aucune limite d'âge pour pratiquer le stretching.

• Certains thérapeutes recommandent la pratique du stretching dans les cas de difficulté de concentration, notamment pour les accros de l'ordinateur.

• Le stretching est une des rares activités complémentaires à tous les sports qui ne présente aucune contre-indication.

• Si vous faites du stretching dans le cadre de cours collectifs, soyez toutefois vigilante quant à l'expérience de l'enseignant. Certaines techniques de rotation du buste, par exemple, ne se réalisent pas n'importe comment et sur n'importe qui.

Votre séance détaillée du samedi

Tête en appui sur le sol

Une jambe fléchie

Bras le long du corps

Une jambe tendue

Le détail important

N'allongez pas les deux jambes afin d'éviter de cambrer le dos.

En quoi consiste la méthode Mézières ?

A relâcher les muscles contractés ! Cette méthode est basée sur l'antagonisme (opposition fonctionnelle) des contractions musculaires et est en complète opposition avec la gymnastique traditionnelle. Elle vise entre autres à l'allongement maximum des muscles vertébraux, notamment pour gommer, lors du travail, la cambrure lombaire et le creux de la nuque.

Les techniques sont de type postural mais sans expiration spécifique. Elle aide à déceler certaines contractions et raideurs, elle est fortement recommandée aux sujets hypertoniques.

Elle ne constitue pas une discipline complète : elle a un rôle plutôt complémentaire à une autre activité. Il n'y a pas de contre-indication connue.

Exercice 4
Relaxation

Comment le faire ?

Allongée sur le dos.
Relâchez progressivement toutes les parties de votre corps (tête, épaules, bras, dos, bassin, jambes) en commençant par le haut.

- Fermez les yeux :   - Ralentissez votre rythme respiratoire au fur et à mesure.

- Phase de relaxation : - Laissez-vous entraîner vers une torpeur profonde durant 3 minutes minimum.

- Ouvrez les yeux :   - Passez lentement vos jambes fléchies sur le côté.

- Phase de réveil :   - Asseyez-vous lentement et restez assise ainsi plusieurs secondes.
     - Relevez-vous très lentement en expirant.

La relaxation

Elle a pour but d'abaisser les tensions et d'apprendre à gérer le stress.

Il existe différentes méthodes de relaxation telles celle de Jacobson, le training autogène de Schultz, la sophrologie, et même la méthode Mézières, qui apportent toutes, avec des techniques différentes, un réel bien-être physique et psychologique.

Il est essentiel de ne pas se donner un temps précis lorsque l'on décide de se relaxer.

Il est bien sûr préférable de se détendre avant de se coucher et de ne pas s'être trop nourrie préalablement.

Pensez à bien vous couvrir (sweet-shirt, pantalon, chaussettes et même plaid) car le corps immobile se refroidit très vite.

Ne vous relaxez pas à même le sol, faites-le plutôt sur un tapis de gym, un tapis de sol ou une couverture.

Ne vous mettez pas non plus sur votre lit, qui risque d'être trop mou et d'entraîner une mauvaise position verticale.

Le stretching et la respiration

Impossible de s'exercer au stretching sans connaître la base de la respiration !

La pratique régulière du stretching permet une meilleure prise de conscience de la respiration et améliore le fonctionnement des muscles respiratoires.

La respiration est un phénomène naturel, qui doit être contrôlé dans certaines circonstances, mais non freinée.

Si, lors d'un étirement, vous ressentez une gêne respiratoire quelconque, diminuez l'effort afin de retrouver un confort dans la respiration.

Si vous pratiquez régulièrement le stretching, votre aisance respiratoire augmente, vos muscles et articulations s'assouplissent progressivement.

Votre capacité vitale (maximum d'air introduit dans les poumons en partant de l'état d'expiration forcée) est améliorée (pour un adulte : elle est environ de 3,5 litres).

Le stretching est souvent recommandé aux personnes souffrant d'asthme (affection liée aux difficultés respiratoires) en raison du rôle important que joue la respiration.

Il est important, lors de la réalisation des postures :
- **de se rendre compte de notre capacité à gonfler la cage thoracique sur l'inspiration,**
- **de sentir la contraction abdominale sur l'expiration.**

Il est essentiel de ne pas retenir sa respiration lors d'une posture.

Comment s'effectue la respiration ?

La partie la plus importante est effectuée par les poumons où le sang veineux se transforme en sang artériel. Ces organes parenchymateux (tissu dont trois cellules ont une fonction physiologique spécifique) sont recouverts d'une membrane séreuse (formée de deux feuillets délimitant une cavité pouvant se remplir de gaz).

La respiration réglée par le centre respiratoire situé dans le bulbe rachidien (au rythme d'environ 8 inspirations par minute) est caractérisée par :

L'inspiration :
- le diaphragme se contracte
- la partie supérieure du thorax augmente
- la pression baisse
- les côtes supérieures se soulèvent
- les muscles externes intercostaux et les muscles nécessaires à l'inspiration se contractent
- l'air entre : l'oxygène irrigue les tissus et les organes à partir des artères

L'expiration :
- le diaphragme se relâche
- les muscles expiratoires se contractent
- la cage thoracique diminue en volume
- la pression augmente
- l'air chargé des gaz néfastes issus des capillaires est éjecté

Deuxième semaine

Programme d'exercices spécifiques anti-cellulite

Objectif
Dans un premier temps :
Pouvoir faire quinze minutes d'exercices par jour avec peu de temps de récupération.
Dans un second temps :
Etre capable de soutenir un effort physique (exercices - course - fitness...) plus de 30 minutes, sans effort, pour éliminer radicalement le plus possible de graisse ou cellulite.

▲ En 15 minutes par jour.

Vous pouvez répéter ce programme hebdomadaire toute l'année en essayant de progresser en intensité et en durée. **Au bout de trois mois, ne vous en tenez plus aux normes conseillées : n'hésitez pas à les dépasser largement.**

• Alternez le programme de la seconde semaine avec celui de la première (toujours en recherchant la progression...).

• Tous les quinze jours, augmentez chaque exercice de cette deuxième semaine de 1 ou 2 répétitions, en diminuant les temps de récupération.

• Rallongez (en fonction de vos disponibilités) le temps de vos séances.

Votre séance du lundi en 15 minutes

Voir détails dans les pages suivantes (description, rythme, niveau, conseils...).

Exercice 1

Pour tonifier et muscler vos muscles fessiers.
«Huit» de la jambe tendue sur le côté.
Faites au minimum : 3 séries de 10 mouvements de chaque jambe.

Exercice 2

Pour tonifier vos muscles abdominaux et aider à l'élimination de la couche graisseuse de votre ventre.
Ramenés du bassin vers soi, les jambes tendues et écartées.
Faites au minimum : 3 séries de 10 mouvements.

Exercice 3

Pour tonifier et aider l'élimination de la couche graisseuse de vos fessiers.
Passage de la jambe tendue du côté vers l'arrière.
Faites au minimum : 2 séries de 10 mouvements de chaque jambe.

Si vous trouvez un exercice peu adapté à vos aptitudes physiques, n'hésitez pas : personnalisez-le en pratiquant une de ses variantes. Par exemple, pour l'exercice 2 : gardez la tête sur le sol et placez vos mains sous vos fessiers.

Exercice 4

Pour éliminer vraiment, choisissez votre exercice.
La corde à sauter.
1 minute - repos 1 minute - 4 minutes.
Les montées de genoux.
30 secondes - repos 1 minute - 1 minute - repos 1 minute - 2 minutes.
Les croisés et décroisés.
30 secondes - repos 1 minute - 1 minute - repos 1 minute - 2 minutes.

Exercice 1
«Huit» de la jambe tendue sur le côté

Comment le faire ?

Sur le côté, les cuisses formant un angle droit avec le corps . Tendez une jambe, repliez l'autre.
Faites des «huit» de la jambe tendue au maximum.

Comment respirer ?

Expirez par la bouche à chaque élévation de jambe.

Combien de fois faut-il répéter ce mouvement ?

• **Vous êtes sédentaire :**
Faites 3 séries de 10 mouvements d'une jambe à votre rythme. Changez de jambe (en changeant de côté). Et si c'est trop difficile ? Fléchissez un peu la jambe active. Reposez-vous le moins possible entre les séries (n'allez pas jusqu'à l'essoufflement).

• **Vous faites une activité physique occasionnellement :**
Faites 3 séries de 12 mouvements d'une jambe à votre rythme. Changez de jambe (en changeant de côté). Diminuez jusqu'à annuler le temps de récupération entre les séries.

• **Vous vous entraînez régulièrement en salle de remise en forme ou vous pratiquez un sport :**
Faites 3 séries de 15 répétitions d'une jambe. Changez de jambe. Diminuez jusqu'à annuler les temps de récupération entre les séries.

Body-building et cellulite

Pratiqué plusieurs heures par jour sous la directive d'un professionnel et d'un diététicien, il est bien évident que le résultat est au bout de l'effort (encore faut-il avoir beaucoup de temps disponible...). Il faut cependant savoir que le régime des adeptes du body-building est hyper-protéiné et bien controversé par la plupart des diététiciens car il n'est pas équilibré. Un ou deux kilos de cellulite disgracieuse valent-ils la peine de soulever de la fonte quatre heures par jour avec une alimentation très stricte ? A chacune de décider...

Elevez la jambe le plus haut possible.

Dos droit
Pieds en flexion
Bras tendu
Jambe repliée à 90°
Tête en repos sur le bras
Jambe tendue

Qu'est-ce que le cardio-training ?

Il s'agit de s'entraîner sur des appareils visant l'amélioration des fonctions cardio-vasculaires.
Dans l'espace «cardio» des salles de remise en forme, on trouve : la bicyclette, le tapis course, le stepper, le rameur, et tous les dérivés du genre : le rider, le vélo de biking, le vélo-rameur, l'appareil entraîneur complet (il remplace le rider, l'air waler, le stepper, le tapis course et le rameur). Tous ces appareils sollicitent beaucoup le cœur et ne doivent pas être employés de façon irréfléchie. Le travail «cardio» développe plutôt l'endurance, en tonifiant la masse musculaire.
Les appareils d'aujourd'hui sont sophistiqués et permettent un entraînement adapté à votre niveau (ce qui n'exclut en aucune façon la surveillance d'un professionnel). Le travail de cardio-training est fortement conseillé pour les personnes à typologie cellulitique car il affine la silhouette tout en la musculant avec élégance.

Votre séance détaillée du lundi

Pieds en flexion

Jambes très tendues

Tête sur le sol

Région lombaire sur le sol bien en creux

Bras en croix

Le détail important

Ne prenez surtout pas d'élan : veillez à contrôler l'exercice en permanence.

Mieux comprendre le travail musculaire

Dans le cadre d'un exercice de faible intensité, on distingue :
• Une phase d'installation
Dès que le travail musculaire commence, les besoins d'oxygène augmentent, la ventilation pulmonaire et le débit cardiaque s'élèvent.
• Un état stable
Au bout de quelques minutes, la consommation d'oxygène devient stable. A ce stade, il n'y a pas de production d'acide lactique (acide-alcool qui apparaît lors de la contraction musculaire et qui crée la douleur et la fatigue)
• Une phase de récupération
La consommation d'oxygène revient peu à peu à son niveau initial.

Exercice 2
Ramenés du bassin vers soi avec les jambes écartées

Comment le faire ?

Sur le dos : ramenez vos jambes à la verticale, tendues et écartées vers vous.

Comment respirer ?

Expirez par la bouche un ramenant les jambes vers vous.

Combien de fois faut-il répéter ce mouvement ?

• **Vous êtes sédentaire :**
Faites 3 séries de 10 mouvements. Et si c'est trop difficile ? Fléchissez les jambes et placez vos mains sous les fessiers. Reposez-vous le moins possible entre les exercices (n'allez pas jusqu'à l'essoufflement).

• **Vous faites une activité physique occasionnellement :**
Faites 3 séries de 15 mouvements. Diminuez jusqu'à annuler le temps de récupération entre les séries.

• **Vous vous entraînez régulièrement en salle de remise en forme ou vous pratiquez un sport :**
Faites 3 séries de 20 mouvements. Diminuez jusqu'à annuler le temps de récupération entre les séries.

Parlons stress ...

Le stress est l'un des facteurs accentuant indirectement le volume cellulitique. Mais quels sont les effets du stress ?
Il entraîne la sécrétion d'adrénaline et de noradrénaline.
Ce sont les glandes surrénales qui libèrent l'adrénaline ainsi que des hormones cortico-surrénales (cortisone) et des enképhalines. Il importe en conséquence de ne pas attendre que le stress ait atteint des phases élevées pour le traiter. Il faut, dès les premiers symptômes, en parler avec un médecin généraliste et décider assez tôt d'une stratégie efficace, alliant parfois médecine traditionnelle et technique de relaxation.

Exercice 3
Passage de la jambe du côté vers l'arrière

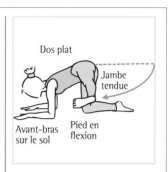

Dos plat

Jambe tendue

Avant-bras sur le sol

Pied en flexion

Comment le faire ?

En position quadrupédique (à quatre pattes).
Faites passer une jambe tendue du côté vers l'arrière.

Comment respirer ?

Expirez par la bouche en ramenant la jambe vers le corps.

Combien de fois faut-il répéter ce mouvement ?

• **Vous êtes sédentaire :**
Faites 2 séries de 10 mouvements d'une jambe.
Changez de jambe (en changeant de côté).
Et si c'est trop difficile ? Fléchissez les jambes et placez vos mains sous les fessiers.
Reposez-vous le moins possible entre les exercices (n'allez pas jusqu'à l'essoufflement).

• **Vous faites une activité physique occasionnellement :**
Faites 2 séries de 15 mouvements d'une jambe.
Changez de jambe (en changeant de côté).
Reposez-vous le moins possible entre les exercices.

• **Vous vous entraînez régulièrement en salle de remise en forme ou vous pratiquez un sport :**
Faites 2 séries de 20 mouvements d'une jambe.
Changez de jambe (en changeant de côté).
Reposez-vous le moins possible entre les exercices.
Diminuez le temps de récupération entre les séries.

Le détail important

La jambe active doit rester parallèle au sol en permanence.

Apprenez à contrôler vous-même votre corps

• **Ne vous pesez pas tous les jours (cela stresse !) mais, par exemple, une fois par mois. Prenez votre pouls au repos (il augmente en cas de surmenage).**
• **Surveillez votre température (prenez-la plutôt au moment où vous êtes le plus décontractée).**
• **Si vous y pensez : faites un exercice d'étirement le soir avant de vous coucher (et non le matin !).**

Votre séance détaillée du lundi

Pour éliminer : choisissez entre ces trois exercices.

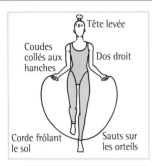

Tête levée

Coudes collés aux hanches

Dos droit

Corde frôlant le sol

Sauts sur les orteils

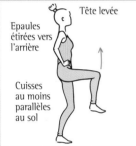

Tête levée

Epaules étirées vers l'arrière

Cuisses au moins parallèles au sol

Tête levée

Appui sur les orteils

Le détail important

Bougez le moins possible votre nuque durant toute la durée de votre entraînement.

Exercice 4

Comment le faire ?

A. Afin de bien sauter à la corde :
- Vérifiez qu'elle n'est pas trop longue (les poignées doivent être au niveau de la taille, lorsque les coudes sont collés au corps et que la corde frôle le sol).
- Sautez légèrement d'un pied sur l'autre, sans jamais poser le talon.
- Gardez un rythme de sauts régulier.
- Conservez le dos droit en permanence.

B. Afin de bien monter les genoux :
- Concentrez-vous.
- Balancez les bras fléchis pour vous aider si vous ne l'avez jamais fait.
- Conservez le dos droit et la tête levée.
- Montez vos genoux toujours à la même hauteur.

C. Afin de bien croiser et décroiser les jambes :
- Gardez le dos bien droit.
- Mettez vos mains sur les hanches.
- Conservez toujours les jambes un peu fléchies.

La sophrologie au service de la cellulite

Elle est utilisée par certains praticiens pour les patientes trop stressées suivant une méthode technique anti-cellulitique.

Elle est toujours très à la mode aux USA.

Cette méthode de relaxation fut inventée par le docteur CAY-CEDO aux alentours des années 60. Elle allie le yoga, l'hypnose, le zen et parfois aussi la méditation bouddhiste.

On apprend à contrôler respiration et concentration et à obtenir un état de décontraction proche de la somnolence.

Cette méthode est également recommandée pour les cas d'insomnie.

Votre séance détaillée du lundi

Comment respirer ?

Veillez à avoir une respiration régulière :
- Inspirez par le nez.
- Expirez par la bouche.

Combien de fois faut-il faire ce mouvement ?

Faites votre choix :

L'exercice A - Le saut à la corde
- **Si vous êtes sédentaire :**
- Pratiquez 1 minute, reposez-vous 1 minute.
- Pratiquez 4 minutes, reposez-vous.
- **Si vous faites une activité physique occasionnelle :**
- Pratiquez 1 minute. Reposez-vous 1 minute.
- Pratiquez 6 minutes. Reposez-vous.
- **Si vous vous entraînez régulièrement en salle de remise en forme ou si vous pratiquez un sport :**
- Pratiquez 1 minute. Reposez-vous 1 minute.
- Pratiquez 7 minutes. Reposez-vous.

OU
L'exercice B - Les montées de genoux
- **Si vous êtes sédentaire :**
- Pratiquez 30 secondes. Reposez-vous 1 minute.
- **Si vous faites une activité physique occasionnelle :**
- Pratiquez 1 minute. Reposez-vous 1 minute.
- Recommencez 4 fois.
- **Si vous vous entraînez régulièrement en salle de remise en forme ou si vous pratiquez un sport :**
- Pratiquez 1 minute. Reposez-vous 1 minute.
- Pratiquez 2 minutes. Reposez-vous 1 minute.
Rien ne vous empêche de faire un mélange des trois exercices.

OU
L'exercice C - Croisés et décroisés de jambe
Faites la même chose que pour l'exercice B.

Cuisine rapide «pro-hanches fermes»

Les POISSONS :
- En papillote dans une feuille d'aluminium bien fermée avec persil, jus de citron, ciboulette, éventuellement un doigt de vin blanc !
- Pochés dans l'eau avec un bouquet garni et un doigt de vin blanc également.
- A la vapeur. En auto-cuiseur, sur un lit d'aromates et de légumes.
- Grillés. Sans huile , avec herbes et épices.

Les VIANDES :
- Poêlées sur fond anti-adhésif.
- Rôties avec épices et aromates.
- Crues, style carpaccio avec jus de citron et très peu d'eau.
- A la broche avec aromates et citron.
- Mijotées, dans un récipient anti-adhésif avec un peu de vin blanc ou de bouillon.
- En papillote (pour le poulet, la dinde...) avec moutarde, herbes, curry, etc.

Votre séance du mardi en 15 minutes

Voir détails dans les pages suivantes (description, rythme, niveau, conseils...).

Exercice 1

Pour tonifier vos abdominaux et éliminer la couche graisseuse au niveau du ventre.
Ramenés de jambes vers soi.
Faites au minimum : 2 séries de 10 ramenés de jambes.

Exercice 2

Pour tonifier et muscler vos fessiers.
«Huit» de la jambe tendue arrière.
Faites au minimum : 2 séries de 10 «huit» de la jambe arrière.

Exercice 3

Pour tonifier vos abdominaux et éliminer la couche graisseuse au niveau du ventre.
Ramenés de jambe vers soi.
Faites au minimum : 3 séries de 10 ramenés de jambes.

**Vous pouvez exceptionnellement, dans votre séance, échanger un exercice d'un autre jour avec un de ceux de cette séance.
Bien sûr, un exercice pour les abdominaux, par exemple, contre un autre exercice pour les abdominaux.**

Exercice 4

Pour éliminer vraiment, choisissez votre exercice.
La corde à sauter.
1 minute avec 1 minute de repos - pratiquez 4 minutes.
Les montées de genoux.
30 secondes - reposez-vous 1 minute - pratiquez 2 minutes.
Les croisés et décroisés.
30 secondes - reposez-vous 1 minute - pratiquez 2 minutes.

Votre séance détaillée du mardi

Exercice 1
Ramenés de jambes vers soi

Comment le faire ?

Sur le dos, les jambes tendues à la verticale, talon d'un pied en contact avec les orteils de l'autre pied : ramenez les jambes vers le buste en conservant le corps relevé.

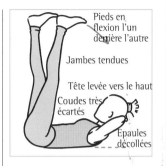

Pieds en flexion l'un derrière l'autre

Jambes tendues

Tête levée vers le haut

Coudes très écartés

Épaules décollées

Comment respirer ?

Expirez par la bouche en ramenant les jambes vers vous.

Combien de fois faut-il répéter ce mouvement ?

• Vous êtes sédentaire :
Faites 2 séries de 10 ramenés de jambes avec le pied gauche vers votre visage. Inversez la position des pieds.
Si c'est trop difficile ? Posez la tête sur le sol et fléchissez légèrement les jambes. Reposez-vous le moins possible entre les exercices (n'allez pas jusqu'à l'essoufflement).

• Vous faites une activité physique occasionnellement :
Faites 3 séries de 8 ramenés de jambes avec le pied gauche vers votre visage. Inversez la position des pieds. Diminuez les temps de récupération entre les séries.

• Vous vous entraînez régulièrement en salle de remise en forme ou vous pratiquez un sport :
Faites 3 séries de 10 ramenés de jambes avec le pied gauche vers votre visage. Inversez la position des pieds.
Diminuez les temps de récupération entre les séries.

Le détail important

Ne prenez pas d'élan à chaque fois pour replacer les jambes à la verticale et surtout pas vers le sol.

L'hypnose aussi est dans la lutte

Elle est utilisée pour aider à trouver une solution aux troubles du comportement alimentaire (et parfois aussi de la nervosité).
Le médecin hypno-thérapeute provoque un état d'intense relaxation et suggère un changement d'attitude permettant cet état particulier. Ses paroles sont captées par l'inconscient, ce qui engendre, quelques jours après la séance, le changement au niveau de la relation avec les aliments.
Il faut quand même compter trois à dix séances pour un résultat durable.
Attention cependant : ne tentez pas ce genre d'expérience avec n'importe qui ; le praticien doit être médecin avant tout !

Si on a plus de 60 ans, quel sport pratiquer pour lutter contre la cellulite ?

En dehors de la gymnastique : la marche très rapide (qui est, de plus, conseillée contre l'ostéoporose et pour la circulation du sang), la natation (faire des longueurs sur une demi-heure par exemple) et le vélo (pour des promenades d'au moins une heure). N'oubliez pas de commencer progressivement et, si possible, suivant les conseils d'un professionnel si vous ne vous êtes pas exercée depuis longtemps.

Votre séance détaillée du mardi

Nuque droite
Dos plat
Pied en flexion
90°

Le détail important

Ne prenez pas appui sur le sol avec le pied lors de la réalisation du cercle en bas.

Correspondance calorique

On recommande en général 1800 calories par jour à une femme sédentaire pour maintenir un poids et une forme correcte, mais on se demande souvent à quoi cela correspond.
Voici un exemple pour vous éclairer :
1800 cal = 250 g de riz, 100 g de pain, 100 g de poisson, 400 g de légumes cuits, 400 g de fruits, 30g de sucre, 3 yoghourts, 1/4 de litre de lait écrémé, 35 g de fromage, 15 g d'huile, 20 g de beurre.

Petite astuce : si vous désirez ôter 200 calories aux aliments ci-dessus, il faut enlever 5 g de beurre, 30 g de pain, 50 g de riz, 10 g de sucre.

Exercice 2
«Huit» de la jambe tendue arrière

Comment le faire ?

En position quadrupédique (à quatre pattes).
Faites des «huit» de la jambe arrière tendue.

Comment respirer ?

Expirez par la bouche sur la partie haute des cercles.

Combien de fois faut-il répéter ce mouvement ?

• **Vous êtes sédentaire :**
Faites 2 séries de 10 «huit» de la jambe arrière.
Changez de jambe. Si c'est trop difficile ? Faites des «huit» plus petits ! Reposez-vous le moins possible entre les exercices (n'allez pas jusqu'à l'essoufflement).

• **Vous faites une activité physique occasionnellement**
Faites 3 séries de 10 «huit» de la jambe arrière.
Diminuez les temps de récupération entre les séries.

• **Vous vous entraînez régulièrement en salle de remise en forme ou vous pratiquez un sport :**
Faites 3 séries de 20 «huit» de la jambe arrière.
Diminuez le temps de récupération entre les séries.

Explication «calories»

La calorie (cal) est la quantité de chaleur nécessaire pour élever de 1 °C 1 g d'eau ; c'est une unité d'énergie.

On utilise également le joule (J).

1 cal = 4,18 J

Petit rappel : une partie des calories absorbées sont utilisées pour permettre l'absorption des nutriments par l'organisme.

Votre séance détaillée du mardi

Exercice 3
Ramenés de jambes fléchies vers soi

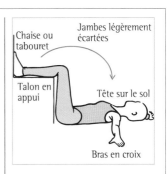

Chaise ou tabouret
Jambes légèrement écartées
Talon en appui
Tête sur le sol
Bras en croix

Comment le faire ?

Allongée sur le dos, mollets écartés en appui sur une chaise : ramenez vos jambes vers vous. Reposez-les avec légèreté à chaque fois.
Vous pouvez tenir les pieds de la chaise avec les mains si celle-ci est instable.

Comment respirer ?

Expirez par la bouche en ramenant les jambes.

Combien de fois faut-il répéter ce mouvement ?

• **Vous êtes sédentaire :**
Faites 3 séries de 10 ramenés des jambes. Et si c'est trop difficile ? Prenez bien appui avec les mains sur le sol pour vous aider et faites 6 séries de 5 exercices à la place.
Reposez-vous le moins possible entre les exercices (n'allez pas jusqu'à l'essoufflement).

• **Vous faites une activité physique occasionnellement :**
Faites 3 séries de 15 ramenés des jambes.
Diminuez les temps de récupération entre les séries.

• **Vous vous entraînez régulièrement en salle de remise en forme ou vous pratiquez un sport :**
Faites 3 séries de 20 ramenés des jambes.
Diminuez les temps de récupération entre les séries.

Le détail important

Plutôt que de chercher à monter le bassin le plus haut possible, pensez à le redescendre en contrôlant bien le mouvement.

Toujours d'actualité : la technique d'ionisation avec produits anti-cellulitiques

Les avis médicaux sont très partagés quant à cette technique.
En effet, bien que cela ne soit pas indolore, beaucoup préfèrent la mésothérapie.
Seul un médecin pourra vous conseiller en tenant compte de votre typologie cellulitique et de votre mode de vie.

Les centres minceur et anti-cellulite à la mode proposent des massages à l'air soufflant

**Évitez ces massages ! Ils peuvent faire apparaître des variscosités et parfois aussi des ecchymoses.
L'air propulsé est souvent trop violent et fragilise l'ensemble de l'appareil circulatoire superficiel.**

Votre séance détaillée du mardi

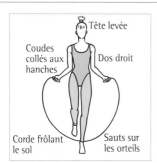

Tête levée

Coudes collés aux hanches

Dos droit

Corde frôlant le sol

Sauts sur les orteils

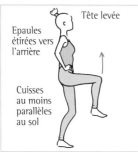

Tête levée

Epaules étirées vers l'arrière

Cuisses au moins parallèles au sol

Tête levée

Appui sur les orteils

Le détail important

Vous devez vous concentrer sur votre respiration afin de n'être jamais essoufflée.

Pour éliminer : choisissez entre ces trois exercices.

Exercice 4

Comment le faire ?

A. Afin de bien sauter à la corde :
- Vérifiez qu'elle n'est pas trop longue (les poignées doivent être au niveau de la taille, lorsque les coudes sont collés au corps et que la corde frôle le sol).
- Sautez légèrement d'un pied sur l'autre, sans jamais poser le talon.
- Gardez un rythme de sauts régulier.
- Conservez le dos droit en permanence.

B. Afin de bien monter les genoux :
- Concentrez-vous.
- Balancez les bras fléchis pour vous aider si vous ne l'avez jamais fait.
- Conservez le dos droit et la tête levée.
- Montez vos genoux toujours à la même hauteur.

C. Afin de bien croiser et décroiser les jambes :
- Gardez le dos bien droit
- Mettez vos mains sur les hanches.
- Conservez toujours les jambes un peu fléchies.

Quant à la cellulite qui apparaît après l'accouchement...

Il faut avant tout différencier graisse et cellulite. Le plus souvent, la graisse sur les fessiers disparaît après l'accouchement et n'a rien à voir avec la cellulite.

Si la peau d'orange, en revanche, persiste pendant un ou deux mois, n'hésitez pas à consulter un spécialiste, qui vous fera faire les examens adéquats.

Evitez cependant les massages trop violents qui créent un décollement de la cellulite qui, par la suite, sera plus difficile à traiter. Supprimez aussi la prise de diurétiques qui peuvent s'avérer dangereux à long terme (ne consommez pas non plus en excès les diurétiques dits naturels, tisanes etc.).

Normalement, la poussée cellulitique disparaît peu à peu avec le retour d'une fonction hormonale normale et une hygiène de vie.

Votre séance détaillée du mardi

Comment respirer ?

Veillez à avoir une respiration régulière :
- Inspirez par le nez
- Expirez par la bouche

Combien de fois faut-il faire ce mouvement ?

Faites votre choix :

L'exercice A - Le saut à la corde
• **Si vous êtes sédentaire :**
- Pratiquez 1 minute, reposez-vous 1 minute.
- Pratqiuez 4 minutes, reposez-vous.
• **Si vous faites une activité physique occasionnelle :**
- Pratiquez 1 minute. Reposez-vous 1 minute.
- Pratiquez 6 minutes. Reposez-vous.
• **Si vous vous entraînez régulièrement en salle de remise en forme ou si vous pratiquez un sport :**
- Pratiquez 1 minute. Reposez-vous 1 minute.
- Pratiquez 7 minutes. Reposez-vous.

OU

L'exercice B - Les montées de genoux
• **Si vous êtes sédentaire :**
- Pratiquez 30 secondes. Reposez-vous 1 minute.
- Pratiquez 2 minutes. Reposez-vous 1 minute.
• **Si vous faites une activité physique occasionnelle :**
- Pratiquez 1 minute. Reposez-vous 1 minute.
- Pratiquez 3 minutes. Reposez-vous.
• **Si vous vous entraînez régulièrement en salle de remise en forme ou si vous pratiquez un sport :**
- Pratiquez 1 minute. Reposez-vous 30 secondes.
- Pratiquez 4 minutes. Reposez-vous.

OU

L'exercice C - Croisés et décroisés de jambe
Faites la même chose que pour l'exercice B.

Comprendre la respiration pour mieux respirer

Elle améliore la circulation sanguine et aide à la combustion calorique lors d'un effort soutenu et assez long. Il existe plusieurs types de respiration.

Dans le processus respiratoire, on distingue :
• La respiration diaphragmatique, qui est tout simplement la respiration abdominale.
• La respiration costale (appel d'air dans les poumons) et la respiration haute (on constate qu'elle est souvent bloquée lorsque le haut du corps se crispe).
• La respiration complète, qui est la somme de l'inspiration ventrale, de la pulmonaire et de celle de la zone des clavicules.

Lorsqu'on expire, le processus s'effectue en sens contraire.

Pendant l'inspiration, les poumons dispensent l'oxygène au tissu cellulaire permettant l'activité métabolique.

Pendant l'expiration, les poumons expulsent l'air chargé de gaz carbonique.

Il importe d'apprendre à bien expirer dans le cadre d'une activité sportive de longue durée.

Votre séance du mercredi en 15 minutes

Voir détails dans les pages suivantes (description, rythme, niveau, conseils...).

Exercice 1

Pour tonifier et muscler vos fessiers.
Petites flexions de jambes.
Faites au minimum : 3 séries de 6 petites flexions.

Exercice 2

Pour tonifier vos abdominaux et éliminer la couche graisseuse au niveau de votre ventre.
Cercles des jambes tendues et écartées.
Faites au minimum : 2 séries de 10 rotations du bassin dans un sens puis dans l'autre.

Exercice 3

Pour tonifier et aider à l'élimination de la couche graisseuse de vos fessiers.
Elévation de la jambe tendue sur le côté.
Faites au minimum : 2 séries de 8 élévations latérales de la jambe tendue.

Arrêtez quelques secondes plutôt que de mal faire un exercice.

Reprenez ensuite plus doucement.

Exercice 4

Pour éliminer vraiment, choisissez votre exercice.
La corde à sauter.
1 minute - repos 1 minute - pratiquez 4 minutes.
Les montées de genoux.
30 secondes - repos 1 minute - pratiquez 2 minutes.
Les croisés et décroisés.
30 secondes - repos 1 minute - pratiquez 2 minutes.

Votre séance détaillée du mercredi

Exercice 1
Petites flexions de jambes

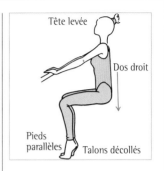

Tête levée

Dos droit

Pieds parallèles

Talons décollés

Comment le faire ?

Debout (possibilité de prendre appui sur un meuble) : faites des flexions sur vos jambes avec les cuisses parallèles au sol.

Comment respirer ?

Expirez par la bouche en vous redressant un peu.

Combien de fois faut-il répéter ce mouvement ?

• Vous êtes sédentaire :
Faites 3 séries de 6 petites flexions à votre rythme. Et si c'est trop difficile ? Faites 6 séries de 3 petites flexions.

• Vous faites une activité physique occasionnellement :
Faites 3 séries de 10 petites flexions.
Diminuez les temps de récupération entre les séries.

• Vous vous entraînez régulièrement en salle de remise en forme, ou vous pratiquez un sport :
Faites 3 séries de 15 petites flexions.
Diminuez les temps de récupération entre les séries.

Le détail important
Conservez le dos le plus droit possible durant toute la durée du traitement.

N'ayez pas peur de faire un peu de musculation

Bien dosée et personnalisée, la musculation qui est une activité physique anaérobie (absence d'oxygène) est bénéfique pour la tonicité et la silhouette.
Ses points positifs : 1 kg de muscle prend moins de place que 1 kg de graisse.
Les muscles dépensent de l'énergie même au repos. Lorsqu'on dort (et que l'on est un minimum musclée ...) les 250 millions de fibres musculaires dépensent 17,6 calories par nuit et par kilo de muscle. Ainsi, si vous avez 10 kg de muscles, vous dépensez 352 calories par nuit pour leur entretien.
On brûle ainsi des calories en dormant, intéressant, non ?

Mieux comprendre le travail musculaire

Dans le cadre d'une activité intense, la consommation d'oxygène augmente jusqu'à son maximum : c'est ce qu'on nomme la VO2 MAXI (appelée aussi puissance maximale aérobie). Il y a une forte production d'acide lactique dans les muscles, obligeant à arrêter l'effort.
Dans le cas d'une intensité de travail ne dépassant par 50 % de la VO2 MAXI, l'effort musculaire peut être prolongé longtemps. C'est ce type d'entraînement qui est recommandé pour éliminer la cellulite. Lors d'un effort de moyenne intensité sur une longue durée, la dépense d'oxygène se stabilise dès la cinquième minute et la quantité d'acide lactique est peu importante.
C'est une situation stable où l'apport d'oxygène correspond aux besoins. Avec l'entraînement, il est possible de maintenir un travail d'endurance de qualité en étant à 85 % de la puissance maximale aérobie. On peut donc faire un effort assez important sur une longue durée. Intéressant quand on veut éliminer le plus possible !

Votre séance détaillée du mercredi

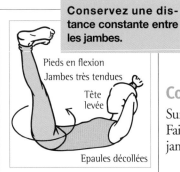

Conservez une distance constante entre les jambes.

Pieds en flexion
Jambes très tendues
Tête levée
Epaules décollées

Pourquoi la population française grossit-elle en règle générale de plus en plus ?

Tout simplement parce que les habitudes alimentaires ont changé.
Dans le passé, on se nourrissait essentiellement de pain et de pommes de terre ; aujourd'hui, on absorbe beaucoup plus de graisses, de sucres rapides et de sodas. En moyenne, on mange de la viande ou du poisson 2 fois par jour. De plus, on a tendance à grignoter et à se nourrir vite. A cela s'ajoute le manque d'effort physique. Les maisons étant mieux chauffées, on dépense moins d'énergie pour la régulation thermique corporelle. Alarmant : le taux d'obésité a été multiplié par 4 ces 10 dernières années dans les pays développés. Dans 30 ans, 60 % des Européens seront trop gras, voire obèses. Il importe de mettre en place une éducation nutritionnelle car 90 % des sujets récidivent après une perte de poids.

Exercice 2
Croisés des jambes tendues et écartées

Comment le faire ?

Sur le dos, jambes écartées au maximum.
Faites des rotations du bassin dans les deux sens en gardant les jambes immobiles.

Comment respirer ?

Expirez par la bouche en ramenant les jambes vers vous.

Combien de fois faut-il répéter ce mouvement ?

• **Vous êtes sédentaire :**
Faites 2 séries de 10 rotations alternées (une rotation du bassin dans un sens - une rotation du bassin dans l'autre).
C'est trop difficile ? Faites des rotations de plus faible amplitude en fléchissant très légèrement les jambes.

• **Vous faites une activité physique occasionnellement :**
Faites 3 séries de 12 rotations alternées.
Diminuez le temps de récupération entre les séries.

• **Vous vous entraînez régulièrement en salle de remise en forme ou vous pratiquez un sport :**
Faites 3 séries de 16 rotations alternées.
Diminuez le temps de récupération entre les séries.

Parlons muscles...

Les muscles représentent 20 à 25 % du corps des femmes. Ces muscles sont au maximum de leurs possibilités vers 25 ans. Les fibres musculaires sont très fines, elles n'ont que 50 microns de diamètre. On distingue les fibres musculaires lisses, comportant le noyau et le cytoplasme contenant des myofibrilles (fibrilles musculaires) qui jouent un rôle dans la contraction, et les fibres musculaires striées, beaucoup plus grasses que les lisses et comprenant une membrane cellulaire, le cytoplasme, de très nombreux noyaux et des myofibrilles très longues. Ces fibres sont regroupées en faisceaux qui forment le muscle.

Exercice 3
Elévations latérales de la jambe tendue

Comment le faire ?
Debout, les mains en appui sur un meuble.
Faites des élévations de la jambe tendue sur le côté.

Comment respirer ?
Expirez par la bouche en élevant la jambe.

Combien de fois faut-il répéter ce mouvement ?
• Vous êtes sédentaire :
Faites 2 séries de 8 élévations de chaque jambe.
Et si c'est trop difficile ? Fléchissez légèrement la jambe active.
Reposez-vous le moins possible entre les exercices (n'allez pas jusqu'à l'essoufflement).

• Vous faites une activité physique occasionnellement :
Faites 2 séries de 12 élévations de chaque jambe.
Diminuez le temps de récupération entre les séries.

• Vous vous entraînez régulièrement en salle de remise en forme ou vous pratiquez un sport :
Faites 3 séries de 15 élévations de chaque jambe.
Diminuez le temps de récupération entre les séries.

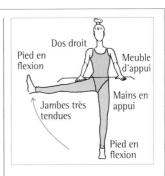

Le détail important

Elevez votre jambe sans toucher le corps sur le côté : le dos doit rester immobile !

Cellulite et shiatsu
Certains centres d'entretien physique et esthétique professent, en complément de séances d'endermologie ou de drainage lymphatique, des séances de shiatsu pour relaxer et soulager les zones du corps endommagées.
Le shiatsu est issu de l'acupuncture et consiste à appuyer sur les points vitaux du corps ou à les masser.
Les pressions libèrent des blocages faisant obstacle au bon fonctionnement du corps. C'est une thérapie contre l'insomnie et la fatigue.
Pourquoi ne pas essayer ?

La recette de la tisane anti-cellulitique du pharmacien de campagne
Mélanger : des racines de pissenlit, de la reine des prés, des feuilles de romarin, des queues de cerise, du distillat d'algues et de la semence d'anis.
Portez à ébullition 4 cuillères à soupe de ce mélange dans un litre d'eau froide environ.
Laissez reposer une dizaine d'heures, puis consommez une tasse entre les repas (le matin avant le petit déjeuner).
Evidemment, c'est diurétique, prenez des précautions en conséquence !

Votre séance détaillée du mercredi

Pour éliminer : choisissez entre ces trois exercices.

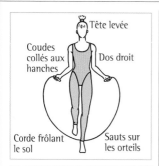

Tête levée
Coudes collés aux hanches
Dos droit
Corde frôlant le sol
Sauts sur les orteils

Tête levée
Epaules étirées vers l'arrière
Cuisses au moins parallèles au sol

Tête levée
Appui sur les orteils

Le détail important

Si vous manquez d'équilibre : fixez une ligne verticale en permanence comme le cadre d'une porte.

Exercice 4

Comment le faire ?

A. Afin de bien sauter à la corde :
- Vérifiez qu'elle n'est pas trop longue (les poignées doivent être au niveau de la taille, lorsque les coudes sont collés au corps, et que la corde frôle le sol).
- Sautez légèrement d'un pied sur l'autre, sans jamais poser le talon.
- Gardez un rythme de sauts régulier.
- Conservez le dos droit en permanence.

B. Afin de bien monter les genoux :
- Concentrez-vous.
- Balancez les bras fléchis si vous ne l'avez jamais fait.
- Conservez le dos droit et la tête levée.
- Montez vos genoux toujours à la même hauteur.

C. Afin de bien croiser et décroiser les jambes :
- Gardez le dos bien droit.
- Mettez vos mains sur les hanches.
- Conservez toujours les jambes un peu fléchies.

Consulter un psychothérapeute pour aider à bien s'alimenter et à gérer son excès cellulitique pour mieux le combattre !

Oui ! Certains spécialistes envoient leurs patientes faire ce style d'expérience afin de connaître les raisons qui les poussent à avoir un comportement alimentaire anarchique.

La patiente soit se fait psychanalyser pour démasquer les raisons inconscientes du dysfonctionnement alimentaire, soit opte pour une thérapie comportementale (qui s'effectue seule ou en groupe) établie par un psychologue, soit choisit une thérapie cognitive qui, avant tout, déculpabilise le sujet, analyse son comportement en tentant de chercher une solution.

Votre séance détaillée du mercredi

Comment respirer ?

Veillez à avoir une respiration régulière :
- Inspirez par le nez.
- Expirez par la bouche.

Combien de fois faut-il faire ce mouvement ?

Faites votre choix :

L'exercice A - Le saut à la corde
• **Si vous êtes sédentaire :**
- Pratiquez 1 minute, reposez-vous 1 minute.
- Pratqiuez 4 minutes, reposez-vous.
• **Si vous faites une activité physique occasionnelle :**
- Pratiquez 1 minute. Reposez-vous 1 minute.
- Pratiquez 5 minutes. Reposez-vous .
• **Si vous vous entraînez régulièrement en salle de remise en forme ou si vous pratiquez un sport :**
- Pratiquez 30 secondes. Reposez-vous 30 secondes.
- Pratiquez 6 minutes. Reposez-vous.

OU
L'exercice B - Les montées de genoux
• **Si vous êtes sédentaire :**
- Pratiquez 30 secondes. Reposez-vous 1 minute.
- Pratiquez 2 minutes. Reposez-vous.
• **Si vous faites une activité physique occasionnelle :**
- Pratiquez 1 minute. Reposez-vous 1 minute.
- Pratiquez 3 minutes. Reposez-vous.
• **Si vous vous entraînez régulièrement en salle de remise en forme ou si vous pratiquez un sport :**
- Pratiquez 1 minute. Reposez-vous 30 secondes.
- Pratiquez 5 minutes. Reposez-vous.

OU
L'exercice C - Croisés et décroisés de jambe
Faites la même chose que pour l'exercice B.

Pour lutter contre la cellulite : une bonne habitude

Notez toutes les prises alimentaires et leurs heures. Cela est d'une aide précieuse pour, dans un premier temps, prendre conscience de vos habitudes et, dans un second temps, les présenter à un diététicien, afin d'obtenir un diagnostic plus fiable et précis. Il peut également servir à un thérapeute du comportement.
Il importe d'indiquer également les prises de médicaments, si vous en prenez, et vos moments d'hydratation. Faites cette expérience au moins pendant deux semaines, en vous pesant hebdomadairement.
Stipulez également vos moments d'activité physique. Ce système est une excellente base pour une stratégie bien adaptée.

Votre séance du jeudi en 15 minutes

Exercice 1

Pour tonifier vos abdominaux et éliminer la couche graisseuse de votre ventre.
Cercles d'une seule jambe.
Faites au minimum : 2 séries de 8 cercles, dans un sens et dans l'autre, de chaque jambe.

> Voir détails dans les pages suivantes (description, rythme, niveau, conseils...).

Exercice 2

Pour tonifier et muscler vos fessiers.
Passage du côté à l'arrière de la jambe tendue.
Faites au minimum : 2 séries de 15 aller-retour de chaque jambe.

Exercice 3

Pour tonifier vos abdominaux et éliminer la couche graisseuse de votre ventre.
Elévation du bassin à la verticale.
Faites au minimum : 2 séries de 8 élévations du bassin.

Exercice 4

> Veillez toutefois à conserver le même rythme d'exécution des techniques.

Pour éliminer vraiment, choisissez votre exercice.
La corde à sauter.
1 minute - repos 1 minute - 5 minutes.
Les montées de genoux.
30 secondes - repos 1 minute - pratiquez 3 minutes.
Les croisés et décroisés.
30 secondes - repos 1 minute - pratiquez 3 minutes.

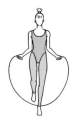

Votre séance détaillée du jeudi

Exercice 1
Cercles d'une seule jambe

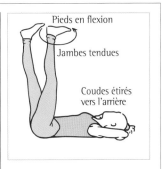

Pieds en flexion

Jambes tendues

Coudes étirés
vers l'arrière

Comment le faire ?
Sur le dos, les jambes à la verticale : faites des cercles alternés, dans un sens puis dans l'autre, d'une seule jambe, en gardant l'autre immobile.

Comment respirer ?
Expirez par la bouche lorsque la jambe revient vers votre visage.

Combien de fois faut-il répéter ce mouvement ?
• **Vous êtes sédentaire :**
Faites 2 séries de 8 cercles dans un sens, puis dans l'autre, d'une seule jambe à votre rythme. Changez ensuite de jambe. Reposez-vous 30 secondes entre les séries. Et si c'est trop difficile ? Fléchissez légèrement les jambes.
• **Vous faites une activité physique occasionnellement :**
Faites 2 séries de 15 cercles dans un sens, puis dans l'autre, d'une seule jambe, sur un rythme dynamique. Changez ensuite de jambe. Essayez de prendre le moins possible de temps de récupération.
• **Vous vous entraînez régulièrement en salle de remise en forme ou vous pratiquez un sport :**
Faites 2 séries de 20 cercles dans un sens, puis dans l'autre, d'une seule jambe, sur un rythme dynamique. Changez ensuite de jambe. Essayez de ne pas prendre de temps de récupération.

Le détail important
Gardez la jambe inactive le plus possible tendue et immobile.

Quels vêtements porter pour s'entraîner ?
Avant tout : préférez des vêtements en coton ne serrant ni les chevilles, ni la taille, ni les bras (optez pour les vêtements sans manches). Commencez toujours avec un survêtement et enlevez-le dès que vous commencez à vous sentir bien échauffée. N'oubliez pas de porter des sous-vêtements spéciaux pour le sport qui sont d'un réel confort et qui empêchent de s'abîmer la poitrine. Portez si possible des chaussettes hautes ou des guêtres (comme les danseurs), cela permet aux muscles de s'échauffer plus rapidement. Ayez des chaussures de sport avec des semelles assez épaisses, surtout pour le saut à la corde par exemple.

Les activités sportives qui musclent le plus le corps
Le body-building, bien sûr, en premier, puis le basket, la course sprintée sur longue distance, la gymnastique et la course de fond.
Chaque sport développe plus ou moins la masse musculaire (et certains groupes plus que d'autres).
C'est donc à vous de bien vous renseigner.

Votre séance détaillée du jeudi

Tête en repos sur le bras

Dos droit

Jambes tendues

Bras tendu

Pieds en flexion

Le détail important

Ne ramenez pas la jambe à l'arrière en forçant afin de ne créer aucune pression au niveau des vertèbres lombaires.

Et si on parlait de la fameuse « bêta-endorphine » ...

C'est une neuro-hormone due à l'hypophyse (glande endocrine située sous l'encéphale) et pouvant se répandre dans l'ensemble du corps. Son effet peut être comparé à celui de l'opium et survient lors d'efforts assez soutenus. Elle peut faire diminuer la douleur musculaire et son action est d'autant plus intense que l'effort physique qui la procure est soutenu. Elle provoque ce fameux état second, de sérénité, que l'on retrouve chez les marathoniens.

Exercice 2
Passage du côté à l'arrière de la jambe supérieure

Comment le faire ?

Sur le côté, une jambe tendue à angle droit avec le corps. Faites aller la jambe supérieure tendue de l'arrière à l'avant ; gardez cette jambe bien tendue.

Comment respirer ?

Expirez par la bouche.

Combien de fois faut-il répéter ce mouvement ?

• **Vous êtes sédentaire :**
Faites 2 séries de 15* aller-retour de chaque jambe (en changeant de côté). Et si c'est difficile ? Fléchissez légèrement la jambe active ainsi que celle qui est inactive.
• **Vous faites une activité physique occasionnellement :**
Faites 2 séries de 20 aller-retour de chaque jambe (en changeant de côté).
Diminuez le temps de récupération entre les séries.
• **Vous vous entraînez régulièrement en salle de remise en forme ou vous pratiquez un sport :**
Faites 2 séries de 25 aller-retour de chaque jambe (en changeant de côté). Diminuez le temps de récupération entre les séries.

Restez en super forme après 40 ans !

Il faut absolument pratiquer une activité sportive après 40 ans pour freiner la détérioration des fibres musculaires, conserver un minimum d'amplitude articulaire. De plus, comme la masse musculaire consomme de l'énergie, on a tout intérêt à être fine et musclée...
On peut presque tout pratiquer après 40 ans ; tout dépend avec qui et comment on le fait.
Exemple : on peut faire du 100 m et du 400 m à 20 ans, et courir 10 km à son rythme à 40 ans.

* Comptez : 1 lorsque votre jambe est devant vous - 2 lorsqu'elle est dans le prolongement du corps etc.

Exercice 3
Elévation du bassin à la verticale

Comment le faire ?

Sur le dos, doigts entrelacés derrière la nuque (sans tirer dessus).
Faites des élévations du bassin vers le haut, jambes serrées et tendues à la verticale.

Comment respirer ?

Expirez par la bouche à chaque élévation.

Combien de fois faut-il répéter ce mouvement ?

• **Vous êtes sédentaire :**
Faites 2 séries de 8 élévations du bassin.
Et si c'est trop difficile ?
Fléchissez complètement les jambes, reposez votre tête sur le sol et placez vos bras en croix sur le sol.
• **Vous faites une activité physique occasionnellement :**
Faites 2 séries de 12 élévations du bassin.
Diminuez le temps de récupération entre les séries.
• **Vous vous entraînez régulièrement en salle de remise en forme ou vous pratiquez un sport :**
Faites 2 séries de 15 élévations du bassin.
Diminuez le temps de récupération entre les séries.

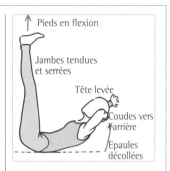

Pieds en flexion

Jambes tendues et serrées

Tête levée

Coudes vers l'arrière

Epaules décollées

Le détail important

Ne dirigez pas vos jambes vers l'arrière mais bien à la verticale lors de l'élévation du bassin.

Prenez soin de vos muscles

Les muscles vieillissent en effet ; le volume musculaire va être 20 fois plus important à la puberté qu'au stade du nourrisson. Ensuite, la masse musculaire double encore jusqu'à 25 ans environ (où l'individu est au maximum de sa force).
Puis elle diminue peu à peu vers la trentaine.
Il importe en conséquence de l'entretenir afin de garder une autonomie le plus longtemps possible.

Prenez soin de votre corps !

Si vous vous entraînez seule pour n'importe quelle activité physique : ne stoppez pas brutalement votre entraînement. Par exemple, si vous avez couru, marchez ensuite pendant plusieurs minutes, ne vous asseyez pas !
Si vous faites des exercices : faites les derniers sur un rythme plus lent. L'organisme a besoin de reprendre un rythme respiratoire et cardiaque normal.
N'hésitez pas à prendre plusieurs minutes jusqu'à ce que vos pulsations cardiaques soient revenues à la normale.

Votre séance détaillée du jeudi

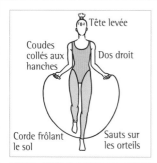

Tête levée

Coudes collés aux hanches

Dos droit

Corde frôlant le sol

Sauts sur les orteils

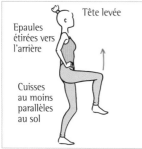

Tête levée

Epaules étirées vers l'arrière

Cuisses au moins parallèles au sol

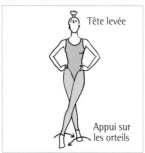

Tête levée

Appui sur les orteils

Le détail important

Si vous ressentez une légère fatigue (et que vous êtes un peu entraînée), essayez de ne pas vous arrêter mais de simplement travailler sur un rythme plus lent.

Pour éliminer : choisissez entre ces trois exercices.

Exercice 4

Comment le faire ?

A. Afin de bien sauter à la corde :
- Vérifiez qu'elle n'est pas trop longue (les poignées doivent être au niveau de la taille, lorsque les coudes sont collés au corps, et que la corde frôle le sol).
- Sautez légèrement d'un pied sur l'autre, sans jamais poser le talon.
- Gardez un rythme de sauts régulier.
- Conservez le dos droit en permanence.

B. Afin de bien monter le genoux :
- Concentrez-vous.
- Balancez les bras fléchis si vous ne l'avez jamais fait.
- Conservez le dos droit et la tête levée.
- Montez vos genoux toujours à la même hauteur.

C. Afin de bien croiser et décroiser les jambes :
- Gardez le dos bien droit
- Mettez vos mains sur les hanches.
- Conservez toujours les jambes un peu fléchies.

Une constatation

Il est impossible, lors d'une perte de poids, de ne perdre que de la graisse ou de la cellulite : on fait diminuer aussi sa masse musculaire.

Il importe donc d'avoir une activité physique régulière pour entretenir les muscles.

Il est essentiel de ne pas faire un régime sous-protéiné qui risque surtout de faire diminuer la masse active au lieu de la masse inerte.

Votre séance détaillée du jeudi

Comment respirer ?

Veillez à avoir une respiration régulière :
- Inspirez par le nez.
- Expirez par la bouche.

Combien de fois faut-il faire ce mouvement ?

Faites votre choix :

L'exercice A - Le saut à la corde
• **Si vous êtes sédentaire :**
- Pratiquez 1 minute, reposez-vous 1 minute.
- Pratiquez 5 minutes, reposez-vous.
• **Si vous faites une activité physique occasionnelle :**
- Pratiquez 1 minute. Reposez-vous 1 minute.
- Pratiquez 6 minutes. Reposez-vous.
• **Si vous vous entraînez régulièrement en salle de remise en forme ou si vous pratiquez un sport :**
- Pratiquez 7 minute en commençant tout doucement la première minute et en augmentant le rythme au fur et à mesure.

OU

L'exercice B - Les montées de genoux
• **Si vous êtes sédentaire :**
- Pratiquez 30 secondes. Reposez-vous 1 minute.
- Pratiquez 3 minutes.
• **Si vous faites une activité physique occasionnelle :**
- Pratiquez 1,30 minute. Reposez-vous 30 secondes.
- Pratiquez 4 minutes.
• **Si vous vous entraînez régulièrement en salle de remise en forme ou si vous pratiquez un sport :**
- Pratiquez 1 minute. Reposez-vous 30 secondes.
- Pratiquez 6 minutes.

OU

L'exercice C - Croisés et décroisés de jambe
Faites la même chose que pour l'exercice B.

Comment calculer sa dépense d'énergie quand le corps est au repos ?

Le corps consomme de l'énergie, même en étant immobile, pour son fonctionnement basal (cœur, respiration etc.). Cette dépense se calcule à l'aide d'une formule «magique» :
$655,096 + (1,85 \times$ votre taille en cm $) + (9,563 \times$ votre poids en kilos$) - (4,876 \times$ votre âge$)$.

Exemple : si vous avez 40 ans, mesurez 1,70 m et pesez 57 kg, votre dépense énergétique au repos est de :
$655,096 + (1,85 \times 170) + (9,563 \times 57) - (4,876 \times 40)$
$= 1176,99$ calories.

Vous pouvez ainsi connaître l'énergie dépensée par l'ensemble de votre masse musculaire puisque celle-ci est de 28 %.
Exemple :
Dépense musculaire =
$\dfrac{1176,99 \times 28}{100} = 329$ calories.

Comme chaque kilo de muscle correspond à une dépense journalière de 17,6 calories : votre corps contient :
$\dfrac{329}{17,6} = 18,7$ kilos de muscles.

Les valeurs ci-dessus sont à arrondir :
1180 cal
330 cal
19 kg

Votre séance du vendredi en 15 minutes

Voir détails dans les pages suivantes (description, rythme, niveau, conseils...).

Exercice 1

Pour tonifier et muscler vos fessiers.
Elévation de la jambe tendue sur le côté.
Faites au minimum : 2 séries de 10 élévations.

Exercice 2

Pour tonifier et muscler vos fessiers.
Cercles des jambes tendues à la verticale.
Faites au minimum : 12 cercles dans un sens puis dans l'autre.

Exercice 3

Pour tonifier vos abdominaux et éliminer la couche graisseuse de votre ventre.
Elévation du corps, pieds en appui sur une chaise.
Faites au minimum : 2 séries de 12 mouvements.

C'est votre dernier jour !

Essayez vraiment (si vous n'êtes pas débutante, bien entendu) de diminuer vos temps de récupération, sans être essoufflée. N'oubliez pas de prendre cependant le temps de bien positionner votre corps : mieux vaut faire 10 minutes d'exercices avec une posture correcte que 20 minutes avec des erreurs !

Exercice 4

Pour éliminer vraiment, choisissez votre exercice.
La corde à sauter.
5 minutes avec progression.
Les montées de genoux.
3 minutes avec progression.
Les croisés et décroisés.
3 minutes avec progression.

Votre séance détaillée du vendredi

Exercice 1
Elévation de la jambe sur le côté

Comment le faire ?
En position quadrupédique (à quatre pattes).
Elevez une jambe tendue sur le côté.

Comment respirer ?
Expirez par la bouche en montant la jambe.

Combien de fois faut-il répéter ce mouvement ?
• **Vous êtes sédentaire :**
Faites 2 séries de 10 élévations de la jambe. Changez de jambe.
Et si c'est trop difficile ?
Prenez appui sur le sol avec le pied de la jambe en action.

• **Vous faites une activité physique occasionnellement :**
Faites 2 séries de 15 élévations de la jambe. Changez de jambe.
Diminuez les temps de récupération entre les séries.

• **Vous vous entraînez régulièrement en salle de remise en forme, ou vous pratiquez un sport :**
Faites 2 séries de 20 élévations de la jambe. Changez de jambe
Diminuez les temps de récupération entre les séries.

Ah ! Ces courbatures !
Il est toujours possible d'avoir des courbatures, elles disparaissent peu à peu avec l'entraînement.
Elles surviennent en général 48 heures après l'effort. C'est ce fameux acide lactique présent dans les muscles qui en est la cause.
Il est issu de la combustion de divers fournisseurs de l'énergie musculaire.
Si vous souffrez de courbatures après votre séance sportive : prenez une douche tiède ou légèrement chaude, massez-vous avec une pommade décontractante et... n'attendez pas pour vous réentraîner !

Le détail important
La jambe doit bien s'élever à angle droit avec le corps, et non vers l'arrière.

Qu'appelle-t-on masse maigre du corps ?
Bien sûr, c'est tout ce qui n'est pas gras !
En généralisant, la moitié correspond aux organes et aux muscles, l'autre partie au sang, aux liquides extracellulaires, au squelette et aux tissus.
A noter : L'ensemble des organes (cerveau, cœur...) fait dépenser à l'organisme 360 calories en moyenne par 24 heures.

Votre séance détaillée du vendredi

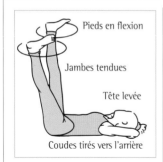

Pieds en flexion

Jambes tendues

Tête levée

Coudes tirés vers l'arrière

Le détail important

L'espace entre les jambes doit rester constant.

Inspirez, expirez ...

Petit exercice pour bien travailler les muscles abdominaux à tout moment : lors de vos expirations, entraînez-vous à rentrer le ventre !
De même, il est indispensable de toujours expirer sur un effort (par exemple, si vous levez et baissez la jambe, expirez lors de l'élévation), cela contribue à réduire la production d'acide lactique et retarde l'apparition de courbatures lors d'un nouveau type d'effort.

Exercice 2
Cercles des jambes tendues et écartées

Comment le faire ?

Sur le dos, les doigts noués derrière la nuque, les jambes tendues à la verticale. Faites des cercles assez grands des deux jambes indépendamment.

Comment respirer ?

Expirez par la bouche lorsque les jambes se rapprochent du corps.

Combien de fois faut-il répéter ce mouvement ?

• **Vous êtes sédentaire :**
Faites 12 cercles dans un sens, puis 12 cercles en sens inverse. Et si c'est trop difficile ? Fléchissez légèrement les jambes et faites des cercles plus petits.
• **Vous faites une activité physique occasionnellement :**
Faites 15 cercles dans un sens, puis 15 cercles en sens inverse. Diminuez le temps de récupération entre les séries.
• **Vous vous entraînez régulièrement en salle de remise en forme ou vous pratiquez un sport :**
Faites 2 séries de 20 cercles dans un sens, puis 2 séries de 20 cercles en sens inverse. Diminuez le temps de récupération entre les séries.

Est-il recommandé de se masser après un effort physique ?

Oui ! Le massage post-effort est très salutaire, et l'auto-massage décrit page 66 vous sera très bénéfique.
Dans le cadre d'une douleur, ne massez pas la zone endolorie vous-même sans l'avis d'un spécialiste.
Dans le cas d'inflammation, les massages adaptés aident à la diminution de la douleur, mais ne résolvent pas le problème. Le massage aide à «dégonfler», soulage la lourdeur, diminue les courbatures et permet d'accentuer les bienfaits du sport. On peut aussi se masser avant un effort pour échauffer les muscles avec une pommade spécifique, et on peut se masser après l'effort pour se délasser.

Exercice 3
Passage des jambes de chaque côté de la chaise

Pieds en flexion

Chaise ou tabouret d'appui

Coudes tirés vers l'arrière

Comment le faire ?

Sur le dos face à une chaise, mollets en appui dessus, les doigts entrelacés derrière la nuque.
Faites passer les jambes fléchies de chaque côté de la chaise, puis reposez-les sur elle entre chaque passage.

Comment respirer ?

Expirez par la bouche en ramenant les jambes sur la chaise.

Combien de fois faut-il répéter ce mouvement ?

• **Vous êtes sédentaire :**
Faites 2 séries de 12 mouvements. Et si c'est trop difficile ?
Descendez moins les jambes vers le sol.
• **Vous faites une activité physique occasionnellement :**
Faites 2 séries de 15 mouvements.
Diminuez le temps de récupération entre les séries.
• **Vous vous entraînez régulièrement en salle de remise en forme ou vous pratiquez un sport :**
Faites 3 séries de 12 mouvements.
Diminuez le temps de récupération entre les séries.

Le détail important

Les jambes doivent conserver un écart constant et se reposer sur l'appui avec contrôle (ne les laissez pas retomber lourdement).

Commencer en douceur...

**Quelle que soit l'activité sportive pratiquée (gym ou jogging) : souvenez-vous qu'il faut toujours commencer doucement, afin de permettre aux muscles de s'échauffer progressivement et d'élever la température du corps en douceur. Soyez vigilante : cela peut entraîner un traumatisme. Un muscle échauffé correctement répond mieux à l'effort, possède une plus grande souplesse et une meilleure contractibilité.
Ne forcez donc pas durant les 5 premières minutes.
En plus de préserver tendons et articulations, la phase d'échauffement est indispensable pour l'adaptation du système cardio-vasculaire à l'effort.**

Formule «Bilan Forme» (test de RUFFIER)

• Prenez votre pouls en état de repos (X).
• Faites 30 flexions complètes des jambes pendant 45 secondes.
• Reprenez votre pouls (Y).
• Reprenez votre pouls 1 minute après l'effort (Z).
Pour obtenir l'Indice de Résistance Cardiaque à l'effort appelé IRC, calculez :

$$IRC = \frac{(Y - 70) + 2 (Z-X)}{10}$$

Si IRC est compris entre 6 et 8 : c'est moyen.
Si IRC est supérieur à 8 : c'est faible.
Si IRC est compris entre 3 et 6 : c'est bon.

Votre séance détaillée du vendredi

Pour éliminer : choisissez entre ces trois exercices.

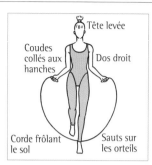

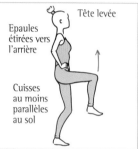

Le détail important

A la fin de ces exercices cardio-pulmonaires, marchez un peu avant de vous asseoir par exemple. Ne passez jamais d'une activité intense à une inertie complète.

Exercice 4

Comment le faire ?

A. Afin de bien sauter à la corde :
- Vérifiez qu'elle n'est pas trop longue (les poignées doivent être au niveau de la taille, lorsque les coudes sont collés au corps et que la corde frôle le sol).
- Sautez légèrement d'un pied sur l'autre, sans jamais poser le talon.
- Gardez un rythme de sauts régulier.
- Conservez le dos droit en permanence.

B. Afin de bien monter les genoux :
- Concentrez-vous.
- Balancez les bras fléchis si vous ne l'avez jamais fait.
- Conservez le dos droit et la tête levée.
- Montez vos genoux toujours à la même hauteur.

C. Afin de bien croiser et décroiser les jambes :
- Gardez le dos bien droit
- Mettez vos mains sur les hanches.
- Conservez toujours les jambes un peu fléchies.

Rôle des hormones dans le poids féminin

Le corps d'une femme moyennement active contient 20 à 25 % de graisse.

Sachez que les fameux œstrogènes, s'ils sont en quantité trop importante, peuvent augmenter le taux d'eau et de graisse.

Les hormones thyroïdiennes, en quantités disproportionnées, peuvent aussi accélérer le processus graisseux et œdémateux.

Quant à la progestérone, elle peut indirectement créer un processus de rétention d'eau.

Votre séance détaillée du vendredi

Comment respirer ?

Veillez à avoir une respiration régulière :
- Inspirez par le nez.
- Expirez par la bouche.

Combien de fois faut-il faire ce mouvement ?

Faites votre choix :

L'exercice A - Le saut à la corde

• **Si vous êtes sédentaire :**
- Pratiquez 5 minutes en commençant au ralenti pendant la première minute et en progressant peu à peu vers un rythme un peu plus soutenu.
• **Si vous faites une activité physique occasionnelle :**
- Pratiquez 7 minutes en commençant doucement et en augmentant votre rythme peu à peu.
• **Si vous vous entraînez régulièrement en salle de remise en forme ou si vous pratiquez un sport :**
- Pratiquez 8 minutes en commençant doucement et en gardant un bon rythme lors de la dernière minute.

OU

L'exercice B - Les montées de genoux

• **Si vous êtes sédentaire :**
- Pratiquez 3 minutes en montant peu et doucement les genoux la première minute puis en élevant progressivement.
• **Si vous faites une activité physique occasionnelle :**
- Pratiquez 5 minutes en montant les genoux progressivement.
• **Si vous vous entraînez régulièrement en salle de remise en forme ou si vous pratiquez un sport :**
- Pratiquez 6 minutes en montant les genoux progressivement.

OU

L'exercice C - Croisés et décroisés de jambe

Faites la même chose que pour l'exercice B.

Le saviez-vous ?

Un kilo de graisse équivaut à 9000 calories.

Il faut à peu près un mois pour perdre un kilo de graisse en diminuant sa ration alimentaire journalière de 300 calories.

Le surplus pondéral, à l'inverse du surplus de rétention d'eau, ne provoque ni dilatation veineuse, ni augmentation douloureuse de la poitrine et du ventre.

Il importe de savoir bien faire la distinction entre une rétention d'eau (qui survient relativement rapidement et provoque un aspect gonflé des chevilles) et un taux de graisse très important.

Votre séance du samedi (ou du dimanche)

Examen médical complet conseillé quand on n'a jamais fait de sport et que l'on désire pratiquer une activité physique

- Bilan sanguin
- Diagnostic vertébral
- Test d'effort
- Prise de tension
- Electro-cardiogramme

Tests physiques complémentaires (souplesse articulaire etc.)
- Bilan nutritionnel
- Contrôle du système artériel et cardiaque

Prenez votre pouls et notez vos pulsations à chaque fois pour comparer.
Petit rappel : la fréquence cardiaque maximale est égale à 220 - votre âge.

Descendez votre buste sur la jambe en éloignant celle-ci peu à peu.

Dos plat

Jambe tendue

Etirez-vous en fin d'entraînement à l'aide de l'exercice 2 de stretching page 104, puis relaxez-vous.

Vous vous êtes prise en main toute la semaine, ce serait bête de ne pas aller jusqu'au bout ...

Recommandé seulement au bout de deux mois de pratique des exercices conseillés préalablement si vous n'avez jamais fait de sport.

• Soit vous choisissez de **vous rendre dans un club de remise en forme** et de faire 1 heure ou 1 heure 30 de tapis roulant, de LIA (Low-Impact-Aérobic), de HIA (Hight-Impact-Aérobic), de vélo, de danse jazz, de body-attack etc. En résumé, toutes les activités qui vous permettent de soutenir un effort assez intense plus de 30 minutes.
C'est à ce prix que vous éliminerez l'amas cellulitique !
Petit rappel : l'organisme ne puise dans les tryglycérides - acides gras- qu'au bout d'une demi-heure d'effort physique.

• Soit vous choisissez de **faire du vélo** et vous partez joyeusement avec un groupe découvrir les zones de côtes.

• Soit vous reprenez la **natation** parce que c'est votre sport préféré. C'est une activité excellente mais ce n'est pas la plus radicale pour la cellulite, même si l'eau a une action permanente de massage.

• Soit vous décidez de vous remette également à la **corde à sauter** le samedi matin, par exemple.
Dans ce cas, ne vous entraînez pas n'importe comment la première fois et prévoyez 30 minutes d'activité :

SÉANCE TYPE

- Commencez par 1 minute d'échauffement.
- Reposez-vous 1 minute.
- Reprenez par 1,30 minute encore doucement.
- Reposez-vous 1 minute.
- Reprenez par 2 minutes un peu plus vite.
- Reposez-vous 1 minute.
- Reprenez ensuite 6 fois 2 minutes en vous reposant 1 minute entre chaque série.
- Essayez ensuite de continuer sans arrêt jusqu'à la fin de votre demi-heure.

Ojectif : sauter une demi-heure sur une musique agréable sans s'arrêter en variant les rythmes.

Votre séance du samedi (ou du dimanche)

• Soit vous décidez de faire la grasse matinée : ce que vous avez fait dans la semaine est déjà bien, mais pour avoir un résultat performant, il conviendrait cependant de rallonger peu à peu votre temps de saut à la corde ou de croisés de jambes lors de vos séances quotidiennes.

• Soit, c'est décidé, vous vous remettez (ou mettez) au **jogging** ! Super ! Si vous suivez bien les directives et conseils ci-après, vous êtes certaine d'obtenir un résultat relativement rapidement (toujours, bien sûr, avec les séances quotidiennes recommandées, l'auto-massage et l'hygiène alimentaire).

Jogging : comment procéder ?

1. Avant tout, équipez-vous convenablement, en investissant dans des chaussures confortables. N'oubliez pas les chaussettes. Si vous avez les pieds fragiles : enduisez-les avec un lait corporel gras avant d'aller courir. N'optez pas pour des vêtements trop serrés à la taille.

2. Si vous n'avez jamais couru :
> • Pendant 3 minutes :
> - Commencez à marcher de plus en plus vite.
> - Pensez à avoir une respiration régulière.
> • Pendant 1 minute :
> - Marchez rapidement.
> - Ne vous arrêtez pas.
> • Pendant 10 minutes :
> - Recommencez à trottiner à votre rythme sans vous arrêter.
> • Pendant 2 minutes :
> - Marchez en inspirant doucement par le nez et en expirant par la bouche.
> - Prenez vos pulsations cardiaques.
> - Etirez-vous avec les exercices de stretching page 102.

Objectif : courir entre 45 minutes et 1 heure sans s'arrêter en se sentant bien en fin d'entraînement.

SÉANCE TYPE

Investissez dans un chrono sympa si vous décidez de persévérer !

Le saviez-vous ?

Le poids du cœur chez un homme non actif est de 300 g, son volume est de 200 cm³.
S'il s'entraîne, son cœur peut atteindre les 500 g et son volume 450 cm³.
Cela signifie que votre cœur à vous aussi, sous l'effet du jogging, va s'améliorer fortement.
Il pourra ainsi pomper presque deux fois plus de sang à la minute lors d'un effort.

Une heure de jogging en endurance fait éliminer un nombre de calories appréciable.

On compte en moyenne 1 cal par kg et par km couru.

Ainsi, si vous pesez 63 kg, cela fait, si vous parcourez 10 km :

1 (cal) x 63 (kg) x 10 (km) = 630 calories consommées

pour 1 heure de jogging pendant 10 km.

Votre séance du samedi (ou du dimanche)

Recommandations importantes

• **Hydratez-vous bien : boire souvent par petites quantités avant d'avoir soif.**
• **Evitez les vêtements de sudation.**
• **Ayez les bonnes chaussures bien adaptées au terrain et à votre foulée.**
• **Ne changez pas brutalement de distance : optez pour la progression.**
• **Evitez les bordures de trottoir.**
• **Courez le soir de préférence (le matin, les muscles engourdis sont plus sujets à d'éventuels petits traumatismes).**
• **Et surtout, n'oubliez pas de vous étirer à la fin de votre entraînement à l'aide, par exemple, de cet exercice.**

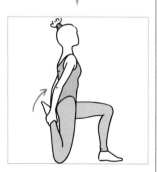

Etirement du droit antérieur-psoas.

Regard sur l'alimentation de la coureuse

Que vous courriez par plaisir ou pour éliminer un surplus pondéral, il ne s'agit pas d'opter pour une attitude incohérente.

Il est conseillé de manger des glucides lents (pâtes, riz) la veille de la course (en quantité raisonnable) et de boire entre les repas.

Le besoin d'eau, en règle générale, est l'équivalent de 1 cm^3 par calorie consommée.

Ainsi, si vous consommez 2200 calories par jour, votre besoin en eau est de 2,2 l (l'eau des aliments étant comprise).

Reportez-vous au chapitre «L'hygiène alimentaire» pour vous concocter une alimentation équilibrée, sans oublier les fameuses proportions : 60 % de glucides, 25 % de lipides et 15 % de protéines.

Regard sur la physiologie de la coureuse

La femme est nettement défavorisée par rapport à l'homme car sa VO2 max (consommation maximale d'oxygène lors d'un effort) est plus faible ainsi que sa puissance musculaire.

Elle a, en revanche, beaucoup d'autres atouts : la souplesse articulaire et la faculté d'améliorer rapidement les capacités de son corps, grâce à son opiniâtreté.

Votre séance du samedi (ou du dimanche)

Conseils simples pour progresser

Dès que vous vous sentez à l'aise pendant 1 heure de course : pensez à varier les allures avec des petites accélérations sur 100 mètres, par exemple.

Cherchez (si vous en avez la possibilité) des terrains d'entraînement afin de passer du terrain plat au terrain accidenté.

Quel type de coureuse êtes-vous ?

• **Une coureuse arrière pied**
Vous attaquez le sol avec le talon, puis vous déroulez votre pied, jusqu'à la propulsion.

• **Une coureuse médio-pied**
Vous attaquez le sol bien à plat et vous poussez avec l'avant de votre pied.

• **Une coureuse avant pied**
Il n'y a que l'avant-pied qui travaille.

Constat
Les femmes sportives souffrent moins d'ostéoporose.

Quelle est la proportion idéale de graisse que devrait avoir la coureuse ?
Aux alentours de 15 %.

Il importe que vous vous observiez afin d'apprendre à vous chausser le plus confortablement possible.

Ceci afin d'éviter un quelconque traumatisme susceptible de vous faire arrêter !

Testez-vous (si vous en avez le courage...) avec le fameux test de Ruffier-Dickson. C'est facile !

Il consiste à faire 30 flexions complètes sur les jambes pendant 30 à 45 secondes puis à prendre son pouls. Il est excellent pour les hanches et les jambes, et donc pour la cellulite. Ainsi, si vous en avez envie, pratiquez-le régulièrement et constatez vos progrès.

Après vous êtes exercée :
• Prenez votre pouls immédiatement pendant 15 secondes (P1).
• Puis reprenez-le une minute après pendant 15 secondes (P2).
• Et reprenez-le encore au repos pendant 15 secondes (P).
• Multiplier P, P1 et P2 par 4 (pour obtenir les pouls à la minute).
• Calculez : $\frac{(P+P1+P2) - 200}{10}$

Résultat : 0 = excellent   10 à 15 = moyen
0 à 5 = très bon   15 à 20 = faible
5 à 10 = bon

Cuisses, bras et cellulite

L'intérieur des cuisses est la partie du corps féminin la plus difficile à remuscler, mais les bons exercices pratiqués régulièrement donnent d'excellents résultats.

Les bras non plus ne sont pas exempts du fléau. La cellulite brachiale apparaît souvent après la cinquantaine et notamment au niveau du triceps (sous le bras).

Son inesthétisme est d'autant plus marqué que la présence d'atonie musculaire et de relâchement de la peau est importante.

Le principe de lutte est identique à celui pour les hanches et les cuisses : réaliser un effort d'intensité moyenne sur une durée relativement longue.

En résumé, si vous faites 5 ou 6 mouvements de bras, que vous stoppez et que vous reprenez, cela ne sert pas à grand-chose...

Afin de lutter au mieux contre la cellulite brachiale, n'hésitez pas à pratiquer de longues séances de mouvements avec les bras tendus devant vous ou sur les côtés. Les rotations avec de petits poids donnent d'excellents résultats.

A l'instar des autres parties du corps, l'idéal est de s'entraîner au moins une demi-heure avec le moins possible de temps de récupération, en variant les exercices.

▲ Pensez à vous entraîner devant une glace, afin d'éviter toute dissymétrie néfaste pour le dos.

Cellulite et intérieur des cuisses

Quels sports durcissent l'intérieur des cuisses ?

La brasse en natation, le saut de haies (en athlétisme), l'équitation, l'escalade, le ski (surtout quand on ne sait pas en faire...), la gymnastique, la machine à adducteurs en musculation, la danse, la course, la natation synchronisée. Attention toutefois : l'excès de culture physique avec des lests aux chevilles provoque un gonflement musculaire pas toujours esthétique.

Programme journalier (sur 6 jours) en 12 minutes maximum

Les muscles (groupe musculaire interne de la cuisse) qui constituent cette partie du corps sont : le pectiné, le grand adducteur, le moyen adducteur, le petit adducteur et le droit interne.

Pour les pros

Vous pouvez pratiquer l'auto-massage en même temps que vous faites l'exercice.

Voir détails dans les pages suivantes (description, rythme, niveau, conseils...).

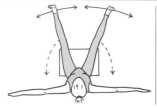

Exercice 1

Cercles des jambes tendues et écartées.
Faites au minimum : 15 cercles dans un sens puis 15 dans l'autre.

Exercice 2

Ecarts des jambes tendues de chaque côté de la chaise.
Faites au minimum : 2 séries de 10 écartés des jambes.

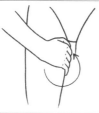

Exercice 3

Votre auto-massage de l'intérieur de la cuisse.
Masser en ellipse en remontant.

Cellulite et intérieur des cuisses

Exercice 1
Cercles des jambes tendues et écartées

Pieds en flexion

Jambes tendues

Dos droit

Comment le faire ?
Allongée sur le dos, jambes écartées : faites des cercles des jambes.

Comment respirer ?
Expirez par la bouche en remontant les jambes vers vous.

Combien de fois faut-il répéter ce mouvement ?
• **Vous êtes sédentaire :**
Faites 15 cercles dans un sens puis 15 dans l'autre sens à votre rythme avec 1 minute de repos entre les séries.

• **Vous faites une activité physique occasionnellement :**
Faites 20 cercles dans un sens puis 20 dans l'autre sens avec 1 minute de repos entre les séries.

• **Vous vous entraînez régulièrement en salle de remise en forme ou vous pratiquez un sport :**
Faites 25 cercles dans un sens, reposez-vous 30 secondes, puis 25 cercles dans l'autre sens, avec 1 minute de repos entre les séries. Objectif : faire 30 cercles dans un sens puis dans l'autre sans temps de pause.

Le détail important

Vous ne devez jamais vous cambrer.

Si vous ressentez une quelconque gêne au niveau du bas du dos : placez vos mains sous vos fessiers et, surtout, ne mettez pas vos jambes vers l'arrière (faites plutôt vos cercles plus près du visage).

Pour des jambes de star, évitez :
• Les expositions prolongées au soleil
• Les saunas et hammams
• Les bas qui tiennent tout seuls
• Le chauffage par le sol
• Les bouillottes
• Le vin blanc
• Les plats épicés
• Les excès de plats gras
• Les longues stations assises
• Les jupes serrées
• Les régimes yo-yo

Comment prévenir les courbatures
Echauffez-vous progressivement le plus possible puis augmentez la cadence de votre entraînement.
Ne vous arrêtez jamais brutalement.
Hydratez-vous par petites quantités durant l'effort (préférez les eaux riches en calcium, magnésium et minéraux, telles Contrex, Vittel...).
Etirez toujours en fin de séance les muscles qui ont été sollicités.
Prenez une douche à 35 °C environ.
Massez en douceur ensuite, avec une huile pour le corps, les zones qui ont travaillé.

Cellulite et intérieur des cuisses

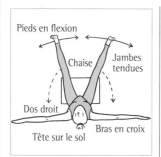

Pieds en flexion

Chaise   Jambes tendues

Dos droit

Tête sur le sol   Bras en croix

Le détail important

Placez votre bassin le plus près possible de la chaise.

Pourquoi a-t-on les jambes lourdes ?

C'est souvent parce que le retour veineux se fait mal.
Le mieux est de consulter rapidement un phlébologue.
La cause est souvent héréditaire.
Un examen clinique et un écho-doppler permettent d'évaluer l'état des veines.
Les nouvelles crèmes à base de menthol et de camphre apportent un réel bien-être.

Exercice 2
Écart des jambes tendues de chaque côté de la chaise

Comment le faire ?

Allongée sur le dos : mettez vos jambes de chaque côté de la chaise puis resserrez-les.

Comment respirer ?

Expirez par la bouche en ramenant les jambes serrées à la verticale.

Combien de fois faut-il répéter ce mouvement ?

• **Vous êtes sédentaire :**
Faites 2 séries de 10 écartés des jambes.
Reposez-vous 1 minute entre les séries.

• **Vous faites une activité physique occasionnellement :**
Faites 2 séries de 15 écartés des jambes.
Reposez-vous 1 minute entre les séries.

• **Vous vous entraînez régulièrement en salle de remise en forme ou vous pratiquez un sport :**
Faites 2 séries de 20 écartés des jambes.
Reposez-vous 30 secondes entre les séries.
Objectif : faire 40 écartés sans temps de repos.

En quoi consiste le lifting de l'intérieur des cuisses

Le chirurgien enlève le surplus graisseux à l'aide des nouvelles techniques de lipo-aspiration. La cicatrice est cachée dans le pli de l'aine. Les sutures, un pansement de contention et une gaine, concluent cette intervention.
L'opération ne nécessite que 2 jours de séjour en clinique. Des ecchymoses et un œdème sont apparents durant une quinzaine de jours, ainsi qu'une certaine sensibilité.
Un traitement antalgique peut être prescrit.
Il est possible de reprendre son activité professionnelle deux semaines après le lifting.

Cellulite et intérieur des cuisses

Votre auto-massage de l'intérieur des cuisses

Réaliser un auto-massage de l'intérieur des cuisses améliore les échanges cellulaires au niveau de la lymphe, active la circulation sanguine et décontracte les muscles.

Ce massage est très simple et s'appuie sur une technique basique.
Utilisez une huile classique, pour le corps par exemple, pour une meilleure aisance gestuelle.

Comment le faire ?

Allongée sur le dos jambes écartées et décontractées.
Massez en larges ellipses l'intérieur des cuisses en exerçant une pression plus marquée sur la remontée.

Important

Ce ne sont pas les doigts qui massent mais l'ensemble de la main avec les doigts souples et serrés.
Les gestes sont réguliers et relativement lents.

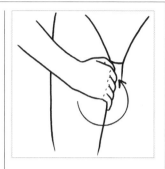

Est-ce plus efficace de porter des lests aux chevilles pour réaliser les exercices ?

Si vous voulez avant tout durcir l'intérieur de vos cuisses en raison d'un relâchement musculaire marqué, portez des lests pour réaliser le premier exercice. En revanche, ne les portez pas pour le second : le port régulier de lests provoque un gonflement musculaire pas toujours très esthétique...

L'hygiène alimentaire joue-t-elle un rôle important dans la réduction du surplus cellulitique dans cette zone ?

Bien sûr, elle joue un rôle important mais cependant moindre que pour le reste du corps : la cellulite et la graisse résidant dans cette région sont particulièrement tenaces.
Surveiller son alimentation crée une amélioration mais ne constitue pas une solution à part entière : seule l'activité sportive produit vraiment un changement sur une période toutefois assez longue.

Bras et cellulite

Une évidence

On ne peut pas tout faire ! Il faut donc choisir la région corporelle qu'on désire améliorer en priorité. Ainsi, si vous êtes complexée par vos bras : traitez-les avant tout pendant 3 ou 6 mois et puis passez aux hanches et au ventre. N'essayez pas de tout faire en même temps en vitesse.

Respectez les minimums de répétitions conseillés, car s'exercer peu ne crée aucun changement.

Programme journalier (sur 6 jours) en 12 minutes maximum

Les régimes font diminuer de volume les bras mais ne les restructurent pas. Il convient donc de :
- les tonifier,
- chercher à éliminer la couche disgracieuse,
- raffermir la peau.

• Remuscler en finesse les bras, à l'aide d'exercices de culture physique principalement axés sur les triceps.
• Chercher à éliminer la couche cellulitique en pratiquant des mouvements spécifiques sur une assez longue durée.
• Raffermir la peau : sans s'attendre au miracle, application journalière d'une crème raffermissante qui adoucit et améliore le grain de peau. Il y a également toutes les méthodes et techniques citées dans ce guide.
• Respecter les préceptes d'une hygiène alimentaire comme pour le reste du corps.

Exercice 1

Pour restructurer la partie inférieure des bras.
Rétro-propulsion des bras (pompes à l'envers).
Faites au minimum : 2 séries de 8 rétro-propulsions.

Voir détails dans les pages suivantes (description, rythme, niveau, conseils...).

Exercice 2

Pour tonifier et affiner l'ensemble des bras.
Petits cercles des bras tendus.
Faites au minimum : 8 cercles dans un sens puis 8 cercles dans l'autre.

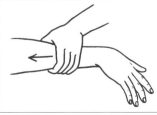

Exercice 3

Votre auto-massage.
Masser en remontant par pressions successives.

Bras et cellulite

Exercice 1
Rétro-propulsions des bras

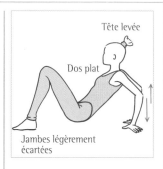

Tête levée

Dos plat

Jambes légèrement écartées

Comment le faire ?

Assise, prenez appui sur vos mains à l'arrière et sur vos pieds (ou talons) : faites des élévations du corps sans reposer le bassin sur le sol en tendant et en fléchissant les bras en alternance.

Comment respirer ?

Expirez par la bouche sur la montée du corps.

Combien de fois faut-il répéter ce mouvement ?

• **Vous êtes très sédentaire :**
Faites 2 séries de 8 rétro-propulsions avec 1 minute de repos entre chaque série.

• **Vous faites une activité physique occasionnellement :**
Faites 2 séries de 12 rétro-propulsions avec 1 minute de repos entre chaque série.

• **Vous vous entraînez régulièrement en salle de remise en forme ou vous pratiquez un sport :**
Faites 2 séries de 20 rétro-propulsions avec 1 minute de repos entre chaque série.
Objectif : faire 4 minutes de rétro-propulsions sans s'arrêter.

Le détail important :

Ne rapprochez pas trop vos pieds du bassin : cela diminue l'effet de l'exercice.

Travail musculaire

Lorsque le biceps (muscle avant du bras) rapproche l'avant-bras du bras, on dit qu'il s'agit d'une contraction concentrique.
Si un poids dans la main est trop important, le biceps ne pouvant s'opposer à la charge, va s'allonger.
Il s'agit d'une contraction excentrique.
Si le poids à soulever dans la main est identique à la résistance musculaire, c'est une contraction isométrique.

Veillez à ne pas souffrir du surmenage sportif

Il apparaît en cas de surentraînement et se traduit par une lassitude par rapport à l'effort physique, une mauvaise exécution des mouvements, un sommeil difficile, une perte d'appétit, une certaine irritabilité.
Ne tombez pas dans un excès d'activité physique, surtout si vous n'avez pas pratiqué depuis longtemps.
Il est bien sûr conseillé de se reposer, de consulter un médecin, de supprimer les excitants, thé, tabac, café, etc., de prendre des vitamines C et B12 le matin, des bains bien chauds...

Bras et cellulite

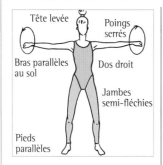

Tête levée
Poings serrés
Bras parallèles au sol
Dos droit
Jambes semi-fléchies
Pieds parallèles

Le détail important

Travaillez avec vos épaules tirées à l'arrière au maximum, lors de la réalisation de ces cercles d'amplitude moyenne.

Le muscle se vascularise-t-il ?

Le muscle constitue l'étape finale dans le transport d'oxygène. Sa surface d'échange pour prélever l'oxygène est de 6 dm^2 pour 1 cm^3.
Cela fait (incroyable !) 2400 m^2 de surface d'échange pour un adulte musclé normalement. De plus, lorsque le muscle est en action, le débit sanguin peut être multiplié par 60, par rapport au repos.
Cela est possible en raison de l'augmentation du débit cardiaque, de l'ouverture de tous les circuits des vaisseaux capillaires, de la fermeture d'un certain nombre de circuits sanguins des organes non actifs (tels ceux de la digestion par exemple).

Exercice 2
Petits cercles des bras tendus

Comment le faire ?

Debout, jambes semi-fléchies et écartées. Faites des cercles bras écartés et tendus.

Comment respirer ?

Expirez par la bouche.

Combien de fois faut-il répéter ce mouvement ?

• **Vous êtes sédentaire :**
Faites 8 cercles dans un sens puis 8 dans l'autre.
Marquez un temps d'arrêt de 1 minute puis recommencez.

• **Vous faites une activité physique occasionnellement :**
Faites 12 cercles dans un sens puis 12 dans l'autre.
Marquez un temps d'arrêt de 1 minute puis recommencez.

• **Vous vous entraînez régulièrement en salle de remise en forme ou vous pratiquez un sport :**
Faites 30 cercles dans un sens puis 30 dans l'autre, avec 30 secondes d'arrêt entre les 2 séries. Objectif : faire 60 cercles (30 dans un sens, 30 dans un autre) sans interruption.

Les petits traumatismes musculaires

• L'élongation se manifeste par une douleur vive et soudaine n'entraînant pas l'arrêt de l'action. Au repos, le muscle reste contracturé et la douleur ne réapparaît qu'en cas de contraction musculaire.
• Un claquage est caractérisé par une douleur très vive entraînant l'arrêt immédiat de l'effort. Au repos, la douleur est toujours présente.
• Une ecchymose peut apparaître plus tard en raison de la rupture de quelques myofibrilles (qui constituent la fibrille musculaire).
• Une déchirure est plus grave et marquée très vite par une ecchymose sous-cutanée et violette. Au début, la zone endommagée est molle puis devient dure. (Attention à la calcification de l'hématome.)

Votre auto-massage des bras

Temps : 5 minutes pour les deux bras.

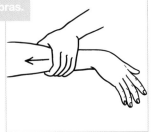

Réaliser un auto-massage d'un bras facilite la circulation sanguine de retour et active la circulation lymphatique.
Le drainage du bras s'effectue en deux temps :
• Drainez d'abord l'avant-bras puis le bras.
• Utilisez une huile classique pour le corps, puis procédez à cette technique.

Comment le faire ?

• Pour l'avant-bras :
Tenez-le dans la main opposée, entre le pouce et les doigts, et remontez cette main le long de l'avant-bras en exerçant des pressions successives (de 2 à 3 secondes chacune). Evitez toujours la zone du creux du coude.
• Recommencez de façon identique pour le bras.
• Etirez votre bras à la fin du massage pendant 5 secondes en tenant le poignet entre les doigts et le pouce.
Procédez de même pour l'autre bras.

Les bonnes nouvelles

• **Lorsque l'on dort et qu'on est musclée, on dépense 17,6 calories par nuit et par kilo de muscles.**

• **On tient de moins en moins compte du poids au profit de la notion : proportion graisse, muscle, eau.**

• **Après 30 minutes d'activité physique, le corps puise dans les graisses.**

• **Exercer une activité physique maintient un volume musculaire certain, empêchant ainsi une atonie et une diminution de volume dus à la sénescence.**

• **Pratiquer :**
- une activité physique régulière,
- une alimentation équilibrée,
- des auto-massages,
assure, sans moyen financier, un résultat stable à relativement court terme.

Vous pouvez également exercer des pressions continues (sans pression alternée) en évitant toujours la zone du coude.

Evitez de masser l'intérieur de l'articulation ou le poignet.

En effet, la peau étant plus fragile en ces endroits, il importe de ne pas la malmener au risque de faire éclater les vaisseaux.

Veillez également à exercer des pressions d'intensité et de durée identiques.

Pensez à diminuer votre rythme respiratoire durant ce massage, qu'il est conseillé de pratiquer assise.

Conclusion

Pour faire diminuer (pas forcément disparaître) la cellulite sans avoir recours à la chirurgie esthétique, voici donc la marche à suivre :

1. Appliquer une hygiène de vie : alimentation équilibrée, sommeil suffisant, etc.

2. Exercer une activité physique spécifique 5 jours par semaine.

3. Faire une séance de sport dynamique (comme le jogging ou la danse moderne) le 6e jour.

4. Se masser quotidiennement, avant et après la douche, sur les parties à traiter (5 minutes).

5. S'offrir chaque semaine (quand on en a les moyens) une séance de drainage lymphatique, de massages spécialisés ou d'endermologie !

L'amélioration sera visible après 2 ou 3 mois, suivant les personnes.

Vos exercices personnels

Vos exercices personnels

Illustrations : Delétraz.

© **Marabout**, 2001.

Imprimé en France par Mame
Dépôt légal : Mai 2008
ISBN : 978-2-501-05138-5
40.8662.5/03